© 2018 Riichu
검사를 목표로
입학했는데
마법적성
9999
라고요?!
6
저자 : 넨쥬무기챠타로
일러스트 : 리이츄

언제까지고
약한 채로는
못 살아!

난 최강이
될 거예요!

가슴이 무거워진
느낌이 들어요……

짜잔!
마법 소녀로
변신했어요!!

검사를 목표로 입학했는데 마법적성 9999라고요?! 6

저자 : 넨쥬무기챠타로
일러스트 : 리이츄

CONTENTS

— 목 차 —

검사를 목표로 입학했는데 마법적성 9999라고요?!

6

저자 : 넨쥬무기챠타로
일러스트 : 리이츄

제1장 마침내 훈련장을 파괴해 버렸어요

안나의 힘을 견딜 수 있는 쌍검을 손에 넣기 위해서 로라 일행은 고대 문명의 유적인 부유 보물고로 갔다. 그리고 거기서 벼락의 마법검과 바람의 마법검인 두 자루의 마법검을 찾아냈다.

고대 문명이 남긴 검인 만큼, 단순히 마법 효과가 있는 것뿐만 아니라 스스로 의지를 갖고서 행동하는, 세상에 둘도 없을 마법검이었다.

더구나 그 두 자루는 부부이고, 로라 일행과 마주쳤을 때는 부부 싸움이 한창이었다.

그것을 중재함으로써 안나는 마법검 부부로부터 『마스터』로 인정받고, 무사히 길드레아 모험가 학교로 갖고 돌아오는 데 성공했다.

마법검은 스스로의 의지로 하늘을 날 수 있어서 마스터인 안나의 뒤를 둥실둥실 떠서 따라왔다.

칼집에 넣어서 들고 다니지 않아도 돼서 편하다.

그렇지만 칼집에 넣지 않은 검이 하늘을 날아다니면 주위 사람들을 불안하게 만든다. 그래서 마법검에 맞는 크기의 칼집을 특별 주문해서 만들어, 평소에는 거기에 넣어 안나가 메고 다니기로 했다.

그렇게 하면 그냥 슥 보는 것만으로는 평범한 검과 다르지 않다.

그러나 마법검은 두 자루 모두 기분파라서 수업 중에 멋대로 칼집에서 빠져나와 교실 안을 둥실 떠다니곤 하는 모양이다.

당연히 처음에는 교사도 학생도 화들짝 놀랐었다.

그러나 길드레아 모험가 학교는 그런 기상천외한 일이 흔히 일어나는 장소다.

검이 하늘을 날아다니는 정도는 그다지 충격적인 일이 아니다.

두 번째부터는 「오, 난다, 난다」 정도의 반응이 되고, 자연스럽게 수업이 이어졌다고 한다.

“전사학과 1학년은 대담하네요. 마법학과에서 검이 공중을 날아다니면 분명 야단법석이 될 거예요.”

“그래? 로라하고 샬롯이 있는 시점에서 검이 날아다니는 것보다 굉장한 일이 매일 일어나는 것 같은데.”

“글쎄요? 무슨 말인지 모르겠네요…….”

방과 후, 평소처럼 전사학과의 훈련장을 찾은 로라는 안나의 말에 고개를 갸웃했다.

확실히 로라와 샬롯은 일반 학생의 기준을 벗어난 마력을 갖고 있다.

그래서 종종 말썽을 일으킬 때가 있지만…… 검이 멋대로 날아다니는 것이 더 굉장한 일임이 틀림없다.

"맞아요. 저도 로라도 요즘은 평범하게 지내고 있어요!"

웬일로 훈련장에 따라온 샬롯이 안나에게 항의했다.

"……신수가 있는 교실은 평범하고 거리가 먼 것 같은데."

그렇게 말한 안나는 로라의 머리 위에 앉아 있는 하쿠를 쓰다듬었다.

"삐?"

하쿠는 무슨 말을 듣고 있는지 모르겠다는 듯이 울었다.

"거 봐요. 하쿠도 평범해, 라고 하잖아요. 마법학과 1학년은 무척 평범해요. 검이 날아다니는 전사학과가 더 이상해요. 그러니까 트러블 메이커라는 칭호는 안나한테 드릴게요."

"그런 칭호가 있었다니."

"에밀리아 선생님이 보증하는 칭호예요!"

"그럼, 에밀리아 선생님이 인정해야 넘겨받을 수 있을 것 같은데."

"……듣고 보니 그러네요!"

로라는 아연실색했다.

앞으로도 트러블 메이커 취급은 변함없을 듯하다.

"로라. 그렇게 떠넘기지 않아도 얌전히 지내면 저절로 트러블 메이커 취급에서 벗어날 수 있을 거예요. 함께 얌전히 지내도록 노력해요!"

"네! 에밀리아 선생님의 위에 구멍이 나지 않게 얌전히 지내요!"

로라와 샬롯은 서로 맹세했다.

이런 맹세는 이전에도 여러 번 있었지만, 어찌된 영문인지 좀처럼 지켜지지 않았다.

앞으로도 그럴 것 같은 예감이 들지만, 그렇다고 포기해서는 안 된다.

얌전히 지내고자 하는 의지를 버려서는 안 된다.

"그건 그렇고, 낮에 약속한 대로 대련하자. 로라가 상대가 아니면 마법검은 무서워서 못 써."

"바라던 바예요. 나도 기대하고 있었어요!"

"저도 그게 보고 싶어서 왔어요."

부유 보물고에서 찾아낸 두 자루의 마법검은 몹시 강력한 마력을 간직하고 있다.

안나는 그 힘을 아직 완전히 통제하지는 못했다.

힘을 조절할 수 없어서 최악의 경우에는 상대방을 죽게 할 위험이 있었다.

수업 중에는 학교의 비품인 평범한 검을 빌려 쓰는 모양이다. 그래서 마법검을 쓰는 특훈은 방과 후에 했다. 안나는 로라와 샬롯의 지도 아래, 마법검의 마력을 통제하는 훈련을 했다.

또한 바람의 마법검을 써서 하늘을 나는 연습도 거듭해왔다.

마법검을 손에 넣은 지 일주일째인 지금은 슬슬 실전 훈련을 해도 좋을 시기일 것이다.

다시 말해, 시합이다.

마법검을 마력 탱크로 쓰는 데 그치는 것이 아니라, 실제로 검으로 다뤄서 싸우는 것이다.

그리고 그 상대로 가장 적임인 것은 로라이리라.

실력으로는 샬롯도 충분히 조건을 만족하지만, 그녀는 검에 소양이 없는 순수 마법사다.

언젠가는 마법사와 싸우는 법을 배울 필요는 있지만, 역시 검과의 싸움부터 시작하는 것이 감각을 익히기 쉬울 거다.

"그럼 하쿠는 위험하니까 샬롯한테 맡길게요."

"삐."

"후후. 제 품이 하쿠의 별장이에요."

하쿠는 본집인 로라의 머리 위에서 별장인 샬롯의 품으로 날아갔다.

"그럼 시작해요. 안나!"

"난 언제든지 괜찮아."

로라가 장검을 양손에 쥐자, 안나도 등에 멘 두 자루의 마법검을 뽑았다.

그 순간, 훈련장에 있던 다른 학생들이 훈련을 멈추고 멀찍이

둘러서서 로라와 안나에게 시선을 돌렸다.

어쨌든 로라, 안나, 샬롯은 학교의 명물로 통했다.

그리고 안나가 새로운 마법검을 손에 넣었다는 소문은 이미 학교 전체에 퍼져 있었다. 그런 안나가 로라와 대련을 한다고 하면 구경하고 싶은 것도 당연하리라.

"바로 진지하게 해도 돼?"

"바라던 바예요, 안나! 덤비세요!"

로라는 크게 끄덕이며 대답했다.

어떤 공격이 와도 받아낼 자신이 있었다.

분명 검 실력으로는 이미 안나가 한 걸음 앞질러 있었다. 마법검에 간직된 마력도 방대하다.

그러나 로라가 가진 마력은 그것들을 훨씬 능가했다.

검 실력이 살짝 차이가 나도 압도적인 마력 차는 뒤집히지 않는다.

앞으로 안나가 검사로서 더욱 성장하고, 더욱이 마력검의 마력을 자유자재로 다루게 된다면 사정은 달라질지도 모른다.

그러나 현재 정면 승부를 해서 로라가 질 요소는 없었다.

"그럼, 간다."

안나는 짧게 중얼거리고, 검에 담긴 마력을 해방했다.

먼저 왼손에 쥔 벼락의 마법검. 거기서 흘러넘친 마력이 안나의 주위에서 방전 현상을 일으켰다. 타닥타닥 소리를 내면서 푸르스름한 번개가 안나를 감쌌다. 그야말로 전기로 된 결계다.

다음은 오른손에 쥔 바람의 마법검. 대기의 흐름을 조종해 안나의 몸을 포탄과 같은 기세로 밀어냈다. 거기에 다리 힘도 더해져 학교 전체를 뒤흔드는 폭음을 동반하고 속도를 높였다.

그것은 단순한 박치기라고 해도 바위를 부수는 위력일 것이다. 하물며 그런 속도로 휘두르는 참격이라면 상급 몬스터의 피부조차 종잇장처럼 벨 터였다.

더욱이 안나는 전기를 두르고 있다.

다시 말해, 안나의 검을 평범한 검으로 막으면 감전돼 몸이 마비된다. 아니, 마비는 물론이고 새까맣게 타버릴지도 모른다.

이래서 검술과 마법의 조합은 무섭다.

한쪽을 막아도 다른 한쪽의 공격으로 치명상을 입을지도 모른다.

그러나 뒤집어서 말하면 양쪽을 막아버리면 문제없다는 뜻이다.

검술과 마법의 조합은 안나의 전매특허가 아니다.

오히려 로라가 익숙한 분야다.

로라는 강화 마법으로 신체 능력을 대폭 끌어올림과 동시에 온몸과 검 전체를 방어 결계로 감쌌다.

이로써, 싸구려 검이지만 고대 문명의 마법검과 겨뤄도 지지 않을 터다.

"하압!"

로라는 안나의 공격을 자기 검으로 튕겨 내려 움직였다.

먼저 노리는 것은 벼락의 마법검이다.

칼날과 칼날이 닿은 순간, 강한 전기가 로라를 덮쳤다.

그러나 강력한 방어 결계가 그것을 완벽히 막았다. 로라는 아무렇지도 않았다.

전기를 없앨 수 있으면 마법검은 단순한 명검에 지나지 않는다.

로라는 힘과 타이밍을 합쳐 벼락의 마법검을 무사히 튕겨 냈다.

그러나 다른 한 자루. 바람의 마법검이 벨 듯한 움직임으로 로라의 옆구리를 향해 날아왔다.

"—!"

터무니없는 속도다.

로라의 검은 한 자루. 안나는 두 자루다. 이 시점에서 수적으로는 압도적으로 로라가 불리했다.

거기에 더해 기량 면에서도 안나가 뛰어났다.

전기 공격을 막아도 이대로라면 검 공격을 막을 수 없다.

따라서 로라는 강화 마법을 더욱 강하게 걸 수밖에 없었다.

지금까지 로라는 방과 후에 안나와 시합을 할 때면 안나와 신체 능력이 비슷해지도록 강화 마법을 조정해왔다. 그렇게 해야 검 특훈이 되기 때문이다.

그러나 이미 그럴 여유는 없었다.

강화 마법으로 안나의 두 배에 해당하는 신체 능력을 얻고, 억지로 자신의 검을 바람의 마법검에 부딪쳤다.

간신히 늦지 않았다.

그대로 힘으로 튕겨 낼 작정이었지만, 갑작스러운 돌풍에 휘말려 균형을 잃었다.

튕겨 내기는커녕 넘어지지 않기 위해 버티는 것이 고작이었다.

물론, 돌풍은 우연이 아니다.

그것은 안나가 마법검으로 일으킨 바람이었다.

로라는 한순간이지만 얼어붙고 말았다.

그때, 조금 전에 튕겨 낸 벼락의 마법검이 또다시 날아왔다.

이번에는 막을 수 없다. 날아오는 것을 알면서도 반응을 할 수가 없었다.

검으로 막는 것이 불가능한 이상에는 방어 결계를 더욱 두껍게 해서 막든, 공격 마법으로 안나를 날리든 둘 중 하나다.

어느 쪽이든 그것은 검 대결에서 벗어난 것이다.

다시 말해, 로라는 이미 졌다. 체크 메이트였다.

그것은 안나도 잘 알 텐데도 휘두르는 검을 멈추지 않았다.

검 대결은 승부가 났어도, 그 앞에 있는 또 다른 대결을 원한다는 뜻일까.

다시 말해, 무엇이든 가능한 싸움이다.

—그렇다면!

안나가 그럴 작정이라면 로라로서도 바라던 바였다.

검을 휘두를 수 있는 자세는 아니더라도 머리만은 잘 돌아갔다.

팔다리를 움직이지 않고도 집중력만 있으면 마법은 쓸 수 있다.

아니, 간단한 마법이라면 집중력조차 필요 없다.

바람 때문에 균형을 잃었으니 그 복수로 로라도 마법으로 바람을 일으켜서 안나를 날려주자—.

로라가 그렇게 생각한 순간, 눈부신 섬광이 눈앞을 새하얗게 물들였다.

아무것도 보이지 않았다.

너무 놀란 나머지 로라의 머릿속도 새하얘졌다.

동시에 다리가 걸리는 느낌과 함께 앞으로 고꾸라졌다.

그제야 로라는 벼락의 마법검이 내뿜은 빛이 시야를 가린 것을 깨달았다.

"아직이에요!"

시야를 빼앗긴 로라는 사방에 강풍을 흩날렸다.

그러자 곳곳에서 비명이 터져 나왔다.

아마도 안나뿐만 아니라 대결을 지켜보고 있던 학생들까지 날아간 모양이다.

그러나 지금은 그런 것까지 신경 쓸 때가 아니었다.

로라는 잽싸게 일어나 검을 다시 겨누었다.

이미 시력은 돌아와 있었다.

예상한 대로 학생들이 쓰러져 있었다.

그러나 안나는 이미 일어나 태세를 갖추고 있었다.

"……이걸로 끝난 줄 알았는데."

"확실히 벼락의 마법검으로 시야를 빼앗을 줄은 몰랐어요. 위험했어요. 하지만, 이제 통하지 않아요. 강한 빛은 차단하도록 방어 결계를 조정했어요. 선글라스 결계예요!"

"그래. 그럼 잔재주는 생략하고 힘으로 밀어붙이는 수밖에 없네."

"진심이세요? 전 이제 검사로서가 아니라 마법사로서 싸우는 거예요! 아무리 그래도 안나한테 승산은 없어요!"

"그건 그렇지만 지금은 이기고 지는 것보다 이 마법 쌍검으로 어디까지 싸울 수 있는지 확인하는 게 목적이니까."

안나는 진지한 눈을 하고 로라에게 말했다.

강해지고 싶어…… 그렇게 얼굴에 적혀 있었다.

누구보다 강해지기 위해서, 우선은 지금의 자신보다 강해지는 것이다.

그녀답게 한 걸음, 한 걸음 확실히 앞으로 나아가려는 의지가 보였다.

"그런 거라면…… 좋아요. 마력을 좀 더 쓸게요!"

"그럼 난 방어를 생각하지 않고 전력으로 덤빌게……. 죽이지 마."

"물론이에요! 마법사로서의 저를 믿어주세요!"

로라는 자신에게 검사로서의 재능이 없다고는 생각하지 않았다. 실제로 입학했을 때 측정한 적성치는 높았고, 어렸을 때부터 단련을 계속해왔다. 약할 리가 없다.

그러나 그것은 어디까지나 상식의 범주 안에 머문 재능이다.

실제로 이렇게 안나에게 추월당하고 말았다.

그러나 마법사로서의 로라는 학교 측이 말하기를 대현자도 뛰어넘는 재능을 가졌다.

로라에게 검술로 싸우는 것은 이미 취미가 되어버렸다.

진지할 때는 마법이 주다.

마법사를 관철하면 안나의 전력 공격을 막으면서도 안나가 다치지 않게 반격할 여유 정도는 있었다.

"그래. 로라라면 믿고 공격할 수 있어."

안나가 든 마법 쌍검의 칼날이, 회오리바람에 휩싸였다.

세찬 바람이 불었다. 어디선가 날아온 나뭇잎이 바람에 휘말려 칼날에 닿기 전에 산산이 부서졌다.

그 회오리바람에 벼락이 더해졌다.

대기 자체가 타오르 듯이 격렬히 발광했다.

빛의 폭풍이다.

흘러넘친 벼락이 주위의 지면을 태웠다.

안나 자신의 교복이 탈 정도의 위력이다. 안나가 그 검으로 가볍게 땅을 베자, 요거트를 스푼으로 뜬 것처럼 땅이 도려내졌다.

벤다기보다 멸한다고 칭해야 할 위력이다.

인간 따위는 직접 닿기는커녕 살짝 스치기만 해도 단칼에 형체도 없이 증발해버리리라.

과연. 이것은 수업 중에는 쓸 수 없다.

상대가 로라이기에 쓸 수 있는 것이다.

"정면으로 막아줄게요!"

로라 역시 자신의 검에 마력을 넣었다.

다만 검술로 맞설 생각은 더는 없었다.

검은 어디까지나 자신의 마력을 안나의 마법검에 때려 넣기 위한 매개체다.

이중 삼중으로 칼날을 방어 결계로 굳힌 다음, 그 위에 빛의 에너지를 휘감았다.

"빛이여, 나의 마력을 삼켜라. 칼날에 모여라. 벼락과 폭풍도 불태우는 힘이 되어 눈앞의 적을 부숴라."

오랜만에 주문을 외쳤다.

그에 의해 로라의 집중력이 높아지고, 안나를 다치게 하지 않고 이길 만큼의 적당한 마력이 검에 모였다.

"위험해. 로라의 눈빛이 진심이야! 도망쳐어어어!"

구경하던 학생들이 비명을 지르며 훈련장을 도망치기 시작했다.

"후, 후후……. 여러분, 근성이 부족하군요. 전 도망치지 않아요……!"

샬롯은 떨리는 목소리로 그렇게 말하면서 하쿠를 꼭 끌어안고 주위에 혼신의 방어 결계를 둘렀다.

그리고 로라와 안나의 검이 격돌했다.

거대한 마력과 마력이 팽팽히 맞섰다.

이긴 것은 물론 로라다.

밀린 안나는 정신력을 모두 써버리고 마법검의 마력을 폭주시켰다. 그 결과, 대폭발을 일으켰다.

애당초 훈련장에는 천장이 존재하기 않아서 폭풍과 불꽃이 공중을 향해 뻗어갔다.

그러나, 그럼에도 불구하고 에너지가 수습되지 않고, 결국은 훈련장 벽을 날려버렸다.

그 폭발이 잠잠해진 뒤에는 오직 로라만이 서 있었다.

안나는 날아가 땅에 뻗어 기절해 있었다.

샬롯도 하쿠를 안은 채 벌러덩 쓰러져 기절해 있었다.

"삐."

하쿠만은 샬롯이 지켜준 덕에 무사했는지 힘차게 날갯짓을 해 로라의 머리 위로 돌아왔다.

"후후후. 이겼어요. 안나도 강했지만 제가 살짝 마음을 먹으면 보다시피예요. 정면 승부라면 학장님 말고는 질 마음은 없어요!"

그러게 말하며 로라는 가슴을 활짝 펴고 기고만장했다.

그러나 누구도 대꾸하는 이는 없었다.

관객은 달아났고, 나머지 두 사람은 기절했으니 당연한 일이다.

로라가 쓸쓸해하고 있자니, 멀리서 에밀리아의 목소리가 가까워졌다.

"로라아아아아!"

"아, 에밀리아 선생님. 제 승리를 칭찬해주시는 건가요?"

"훈련장을 부수다니, 어째서 넌 얌전히 있지를 못하는 거야! 이 사고뭉치 녀석아! 오늘이야말로 용서 못 해애애애애!"

"아."

다가온 에밀리아는 베헤모스 같은 표정을 짓고 있었다.

변명할 여지도 없이 머리에 주먹이 날아왔다.

로라의 머리 위에 있던 하쿠는 에밀리아의 얼굴을 보자마자 허공으로 달아났다. 덕분에 주먹이 로라를 직격했다.

"아얏. 아파요, 에밀리아 선생님! 갑자기 무슨 짓이세요……."

"그건 내가 할 말이야! 문제를 일으키는 것에도 정도가 있어!

학장님한테도 따끔하게 혼이 나야 해! 따라와!"

"히이익, 잘못했어요, 선생님……. 당분간 얌전히 지내자는 다짐은 했었어요……. 하지만 어째선지 일이 이렇게…… 아얏, 뺨을 그렇게 잡아당기시면 아파요…… 어째서 저만…… 안나도 같이 싸웠는데!"

그 항의는 받아들여지지 않은 채, 로라는 그 길로 학장실로 끌려갔다.

그 뒤를, 기절에서 깨어난 안나와 샬롯이 하쿠를 데리고 쫓아갔다.

다 같이 혼나면 무섭지 않다는 정신이었다.

※

"와아~~. 결국 훈련장을 부쉈구나. 뭐, 언젠가 그렇게 될 줄은 알았지만."

대현자는 학장실의 책상에 앉아 바나나 파르페를 먹으면서 태연한 투로 말했다.

한편, 로라, 안나, 샬롯 세 사람은 바닥에 무릎을 꿇고 앉아 있었다.

그 옆에는 에밀리아가 서서, 전에 없을 만큼 눈꼬리를 치켜 올

© 2018 Riichu

리고 있었다.

그리고 하쿠는 상관없다는 얼굴로 그 주위를 어슬렁거리며 놀고 있었다.

"학장님! 좀 더 따끔하게 야단쳐주세요! 너무 너그러우세요!"

에밀리아가 소리쳤다. 그러나 대현자는 표정을 바꾸지 않았다.

"음……. 그래도 일부러 부순 게 아니라 훈련했던 거잖아? 훈련장에서 훈련하지 말라고 하는 것도 이상하고 말이야."

"그건 그렇지만…… 좀 더 조절을 했어야죠……."

"어머. 학교 시설이 허술하니까 학생한테 조절하라고 해? 그런 학교는 다닐 이유가 없잖아."

"그, 그건. 그럴지도 모르지만……."

에밀리아는 반론할 말을 찾지 못하고 입을 다물었다.

로라도 『듣고 보니 우리는 방과 후에도 훈련을 하는 학생들의 본보기인데 어째서 야단을 맞아야 하는 걸까』라고 생각하기 시작했다.

"어쨌든. 강해지고 싶어 하는 건 이 학교 학생으로서 올바른 자세지만, 너희는 일반 학생들하고는 달라. 진지하게 겨룰 때는 때와 장소를 가려야 해. 이제 너희의 힘은 주위에 영향을 미친다는 걸 자각하렴."

"네……."

"면목 없어……."

로라와 안나는 사죄했다.

확실히 어떤 이유에서건 간에 학교를 망가뜨리는 것은 바람직하지 않다.

게다가 이렇게 될지도 모른다는 예감을 했는데도 그만 전력을 다하고 말았다.

"샬롯도 마찬가지야."

"저, 저는 그 자리에 있었을 뿐 이번엔 아무 짓도 안 했어요……!"

"이번엔 그렇겠지만 말 안 하면 조만간 사고 칠 거잖아?"

"그, 그렇지…… 않아요……!"

샬롯은 스스로를 믿지 않는 듯한 말투로 대답했다.

"그러니까, 에밀리아. 이 애들한테는 일러뒀으니까 오늘 일은 이만 넘어가줘. 또 똑같은 짓을 하면 그때는 호되게 혼내야겠지만."

"……좋아요. 확실히, 말씀하신 대로 훈련하다가 생긴 일이니 이번 한 번은 넘어갈게요. 이번 한 번은요."

에밀리아는 『이번 한 번은』이라는 부분을 강조했다.

"걱정 마세요, 에밀리아 선생님. 아무리 저희라도 같은 실수는 반복하지 않아요. 아마도요."

"아마도?"

"바, 반드시!"

장난으로『아마도』라고 했더니, 에밀리아가 희번득한 눈으로 노려봐서 황급히 정정했다.

"에밀리아 선생님. 이제 일어나도 돼? 다리 저려."

그때 안나가 다리를 주무르면서 말했다.

"아아, 응. 이제 됐어."

에밀리아의 허락을 받은 세 사람은 끙챠 하고 일어났다.

그러자 설교 타임이 끝난 것을 안 걸까, 어슬렁거리며 놀고 있던 하쿠가 로라의 머리 위로 돌아왔다.

"하지만 학장님. 이 애들을 야단치지 않는다고 해도, 전사학과의 훈련장은 어떻게 하죠?"

"훈련장이라고 해봤자 아무것도 없는 땅을 벽으로 구분 지었던 것뿐이야. 다시 짓는다 해도 그렇게 돈이 들지 않으니까 괜찮아. 하지만 어차피 다시 만드는 거라면 좀 더 튼튼하게 짓고 싶어. 나중에 폐하한테 부탁할게."

"우와! 그럼 저희가 진지하게 싸워도 괜찮은 거죠?!"

"음…… 그 정도로 튼튼하게는 못 만들어."

"실망이에요."

로라는 어깨를 축 떨어뜨렸다.

진지하게, 진지하게라고는 하지만 아까 훈련장 벽을 부쉈을 때 로라는 전혀 진지하게 하지 않았다.

평소보다는 힘이 들어갔지만 그것도 조절한 것이었다.

그 정도 힘조차 발휘할 장소가 없다니 슬픈 일이다.

"우리는 내일부터 어디서 특훈을 하지?"

안나가 궁금증을 입 밖에 냈다.

그러자 샬롯이 머리카락을 쓸어 올리며 겁 없이 웃었다.

"후후후. 전 항상 숲에서 비밀 특훈을 하고 있어요. 아무도 휘말리게 할 일이 없어서 추천해요!"

"와아, 그렇군요! 왕도 밖으로 나가는 건 귀찮지만 그 방법밖에 없어요!"

"하지만 정말 아무도 휘말리게 하지 않는 거야? 근처에 모험가나 여행자가 있으면 큰일 나지 않을까……."

"이, 일단 먼저 확인한 다음에 시작해요!"

"일단이라니……."

안나는 샬롯에게 의심하는 눈빛을 보냈다.

로라도 같은 생각이었기에 같은 표정을 지었다.

"저, 정말 확실히 주의하고 있어요! 아무도 휘말리게 한 적 없어요! 믿어주세요오!"

샬롯은 필사적인 얼굴로 변명했다.

"믿을 테니까 그런 울 것 같은 얼굴 하지 마세요. 샬롯이라면 누군가가 다가오면 낌새로 알아챌 테니까요."

"그, 그래요! 그리고 제가 알아채지 못할 정도의 실력자라면 휘말려도 괜찮아요!"

억지 논리 같은 느낌도 들지만 실제로 샬롯이 낌새를 알아채지 못할 상대는 여간해서는 다치지도 않을 것이다.

그보다, 샬롯이 마법 특훈을 하면 인간이든 동물이든 도망칠게 틀림없다.

"그럼 우리도 내일부터 샬롯하고 같이 숲으로 가요."

"언젠가 로라를 따라잡기 위한 비밀 특훈이었지만…… 안나의 마법검이 궁금하니까 같이 특훈하는 것도 하나의 재미예요!"

"알았어. 셋이 함께라면 평소보다 즐겁게 특훈할 수 있을 거야."

안나도 숲에서 특훈하는 것에 이견은 없는 모양이다.

로라가 내일 방과 후를 기대하며 가슴을 부풀리는데, 대현자가 찬물을 끼얹는 말을 했다.

"기대하고 있는데 미안하지만, 왕도 주변 숲은 폐하의 땅이야. 너희가 특훈을 하면 나무가 몇 그루는 날아갈 텐데. 왕가의 재산을 파손하는 건 너무 제멋대로이지 않아?"

대현자의 말에 로라 일행은 얼어붙었다.

특히 샬롯의 얼굴이 딱딱하게 굳었다. 분명 짚이는 데가 있는 것이리라.

"하, 하지만 학장님. 모험가는 숲에서 몬스터를 사냥하고 있어요……. 그리고 전투 중에 나무를 훼손하는 건 어쩔 수 없는 일이에요!"

"그래. 몬스터 사냥은 치안 유지에 필요하니까 숲을 훼손해도 책임을 묻지 않게 돼 있어. 하지만 너희는 특훈을 위해서 훼손하는 거잖아? 폐하한테 들키면 야단맞아!"

로라는 여왕 폐하의 화난 모습을 상상했다.

대국의 여왕이라는 위치에 있으면서도 시원시원하고 대화하기 쉬운 사람이다.

더구나 사실은 성인 여성이지만, 대현자의 마법에 걸려 로라보다 어린 여자애의 모습으로 변해 있었다.

꼭 껴안고 싶을 만큼 귀여운 외모다.

그러나 며칠 전, 축제의 한 사건을 계기로 여왕 폐하는 진심으로 역정을 냈었다.

일국의 정점에 선 자에 걸맞은 박력 넘치는 분노였다.

그 분노가 자신들에게 향한다고 생각하자 로라는 몸서리가 쳐졌다.

"샬롯…… 뭐라고 위로의 말씀을 드려야 할지……."

"세, 세상에. 로라…… 자기는 관계없다는 듯이 말하지 마세요!"

"그야…… 저와 안나는 미수니까요……. 하지만 샬롯은 지금까지 매일 해온 거잖아요?"

"샬롯. 감옥에 들어가면, 필요한 거 갖고 면회 갈게. 기운 내."

안나는 샬롯의 어깨를 탁 쳤다.

"흑…… 설마 숲에서 특훈하는 게 그런 중죄였다니…… 모두하고 같이 졸업하고 싶었어요……!"

샬롯은 진지하게 받아들였는지 눈물을 뚝뚝 흘리기 시작했다.

그 모습을 본 대현자가 황급히 수습에 나섰다.

"괜찮아. 목재를 훔친 거면 몰라도 수행하다가 나무를 부러뜨린 정도로는 감옥에 안 가. 아마도."

"아마도예요?!"

"그게, 폐하는 너그럽잖아. 그리고 말 안 하면 안 들켜. 샬롯이 삼림 파괴를 했었던 건 여기 있는 사람만의 비밀이야. 샬롯의 미래를 위해서 발설 금지야!"

그렇게 중얼거리고, 대현자는 입에 검지를 붙였다.

단순히 방과 후를 어디서 보낼까 하는 이야기였는데 왕가까지 끌어들인 거대한 이야기가 됐다.

로라는 큰 범죄에 가담한 것 같은 기분이 들어 꿀꺽 침을 삼켰다.

그러나 냉정하게 생각하면 그렇게 큰일이 아니라는 생각도 들었다.

"그래서 결국 우린 방과 후에 어디로 가지?"

안나가 문제의 본질을 찔렀다.

그렇다. 중요한 것은 그거다.

샬롯을 놀릴 때가 아니었다.

"초원에 가면 되잖아? 나무를 부러뜨릴 걱정도 없고. 사방이 트인 장소니까 일일이 신경 쓰지 않아도 주위에 누가 있는지 한눈에 알 수 있어."

대현자의 말에 로라 일행은 손뼉을 탁 치며 「아하!」 하고 소리쳤다.

"그런 방법이 있었군요! 생각도 못 했어요!"

"역시 학장님이에요~~."

"……그렇게 말할 정도려나? 오히려 너희가 어째서 지금까지 숲에 집착했었는지를 묻고 싶어."

"그거야, 수행이라는 건 울창한 숲 속에서 하는 거라는 인상이 있으니까요!"

"아, 알아요. 산중 수행 같은 것도 해보고 싶고요!"

"동감이야. 초원은 뭔가 너무 한가로워."

로라 일행은 서로 마주 보고 끄덕였다.

그러자 대현자와 에밀리아도 「그건 그래」 하고 중얼거렸다.

"……듣고 보니 초원은 뭔가 소풍 같네."

"수행은 어느 정도 험한 장소라야 분위기가 나는 걸지도……?"

선생님들도 그렇게 생각한다는 것은 역시 초원은 특훈 장소로 어울리지 않는 건지도 모른다.

"난감해졌어요. 분위기를 위해 숲으로 할지, 안전을 위해 초원으로 할지…… 고민돼요."

"로라. 그럴 땐 안전을 택해야 해요. 아무리 모험가라도 이런 걸로 모험을 하는 건 무의미해요! 감옥살이는 하기 싫어요!"

샬롯이 비명을 외쳤다.

"확실히, 샬롯이 감옥으로 이사를 가면 저도 곤란해요. 이번엔 분위기를 포기하고 초원으로 해요. 하지만…… 산중 수행도 언젠가는 해보고 싶어요. 한 번이라도 좋으니 폭포를 맞아보고 싶어요!"

"정신력을 키울 수 있을 것 같아요!"

"하지만 지금은 추워서 감기에 걸릴 거예요. 내년 여름에 도전해요!"

"수영복을 사야겠네."

"와, 안나! 어떤 수영복을 살 건데요?!"

"아직 안 정했지만, 귀여운 걸로."

"제가 고르는 걸 도와드릴게요!"

"삐!"

"어머. 하쿠도 수영복이 갖고 싶은 거예요? 하지만 어린이 드래곤용 수영복이 있을까요?"

그렇게 로라 일행이 수다를 떨고 있자니, 옆에 있던 에밀리아가,

"그건 수행이 아니라 그냥 물놀이 아니야?"

하고 냉정하게 지적했다.

물론, 로라도 눈치채고 있었지만 즐기는 것도 중요하다고 스스로에게 되뇌며 에밀리아의 지적을 무시했다.

제2장 초원에서 수행을 해요

훈련장을 망가뜨린 다음 날.

로라 일행은 방과 후에 교문 앞에 모여 초원을 향해 날았다.

지금까지는 안나가 하늘을 날려면 로라나 샬롯 등에 타는 수밖에 없었다.

그러나 지금은 바람의 마법검을 써서 혼자서 날 수 있었다.

그렇다고는 해도 아직 완벽하게 제어하지는 못했다.

좀처럼 일정한 속도로 날지 못하고 로라와 샬롯을 앞질러버리거나 어떤 때는 너무 느려서 늦는 등 불안정했다.

할 수 없이 로라와 샬롯이 안나의 속도에 맞춰서 날았다.

"미안해. 아직 연습이 필요한가 봐……."

"사과할 거 없어요! 곧장 날 수 있는 것만 해도 대단해요!"

로라는 안나를 격려했지만 딱히 입에 발린 말이 아니라 정말로 대단하다고 생각했다.

마법검에서 얻은 마력으로 하늘을 나는 것은 자신의 마력을 쓰는 것보다 훨씬 제어하기 어려운 것임에 틀림없다.

"초원에 가기 전에 비행 연습을 하는 게 좋을지도 몰라요. 자,

안나. 제 움직임을 쫓아와요!"

그렇게 말한 샬롯은 슝 하고 속도를 올려 공중제비를 돌았다가 지그재그로 날았다가 곡예 같은 동작을 펼쳤다.

"갑자기 고난이도…… 하지만 해볼게."

"역시 안나는 도전자예요!"

샬롯을 뒤쫓는 안나를, 로라는 뒤에서 지켜봤다.

하쿠는 중간까지는 스스로 날았지만 속도를 따라오는 게 힘이 들었는지 로라의 머리 위에 내려 쉬기 시작했다.

"끄응…… 샬롯, 빨라…… 못 따라잡겠어."

"오호호호! 이것도 아직 최고 속도가 아니에요, 안나!"

"샬롯이 악당 같은 말을 하고 있어요! 그럼 안 돼요! 안나는 하늘의 초심자라구요. 좀 더 천천히 날아주세요!"

"스파르타 교육이 제 방식이에요!"

샬롯은 더욱 속도를 높여 슝 하고 구름 위로 가버렸다.

이래서는 안나가 쫓아갈 수 있을 리가 없다.

스파르타라기보다 단순히 샬롯이 신이 난 것뿐이다.

"샬롯은 내버려두고 먼저 초원으로 가요!"

"나도 빨리 저렇게 날고 싶어……."

안나는 구름을 올려다보면서 부러운 듯이 중얼거렸다.

그러나 다음 순간.

구름 위에서 샬롯이 거꾸로 떨어졌다.
""어?!""
로라와 안나가 깜짝 놀라 얼어붙는데, 더욱 놀랍게도 구름 속에서 대현자가 나타났다.
대현자는 샬롯을 뒤쫓아, 땅에 떨어지기 전에 샬롯을 낚아챘다.
"학장님."
"어머, 로라하고 안나네."
"삐!"
"하쿠도 우연이구나."
"삐이."
"……학장님. 왜 구름 속에서 나와?"
안나가 묻자, 대현자는 「그게…….」 하고 말문을 열었다.
"구름 위에서 낮잠을 자고 있는데 갑자기 등에 쿵 하고 충격이 느껴져서. 깜짝 놀라서 깼더니 샬롯이 떨어지고 있잖아? 어찌나 놀랐던지."
"그렇군요. 역시 낮잠을 주무셨군요."
로라는 완전히 납득했다.
대현자는 틈만 나면 낮잠을 잤다. 낮잠을 자기 위해 사는 게 아닐까 하는 의심이 들 만큼 잤다.
로라에게 오믈렛이 소중한 것처럼, 대현자에게는 낮잠이 소중한 것이리라.

"애, 샬롯, 일어나. 남의 낮잠을 방해해놓고 자기는 태평하게 자다니, 약았어."

대현자는 샬롯을 안아 올려 뺨을 찰싹찰싹 때렸다.

"으응…… 어? 어째서 학장님이 여기……."

"기분 좋게 자고 있던 내 등에 박치기를 해놓고 『어째서』라니. 나도 화낼 땐 화내는 사람이야."

"아앗, 뺨을 잡아당기시면 아파요오!"

대현자에게 볼을 꼬집힌 샬롯이 비명을 질렀다.

"으음…… 역시 로라 뺨보다는 잡아당기는 맛이 없네……. 로라, 잡아당기게 해줘."

"시, 싫어요! 전 아무 잘못도 안 했잖아요!"

아무 잘못도 하지 않았는데 뺨을 꼬집힌다면 그건 이미 학대다. 여왕 폐하에게 일러바치러 가는 수밖에 없다.

"하긴…… 뭐, 로라니까 조만간 뺨을 잡아당길 구실이 생기겠지. 초원에 가는 거지? 나도 같이 갈게."

"뺨은 못 내어드리지만 학장님이 함께 가시면 안나에게 훌륭한 조언을 해주실지도 몰라요. 꼭 함께 가주세요!"

"검에 대해서는 문외한이지만 마법검은 마법 도구니까. 지적할 수 있는 부분이 있을지도 몰라."

"고마우신 말씀이야. 잘 부탁드립니다."

안나는 공중에서 능숙하게 꾸벅 머리를 숙였다.

그리하여, 대현자도 함께 초원으로 가게 됐다.

무척 든든하다.

다만, 대현자는 방심하면 낮잠을 자버리니 그렇게 되지 않도록 요란한 수행을 해야 한다.

※

"도착했어."

"생각보다 시간이 걸렸어요."

"샬롯이 지그재그로 날거나 학장님한테 박치기를 했기 때문이에요."

"그건 불가항력이었어요! 설마 그런 곳에 학장님이 계실 줄은 몰랐으니까요!"

"그건 피차일반이야. 나도 자다가 샬롯한테 박치기를 당할 줄은 몰랐어."

대현자는 샬롯을 지그시 노려봤다.

"……그 말은, 대현자의 예측을 뛰어넘는 공격이었다는 거네요!"

"아…… 그게 공격이었구나……. 샬롯, 잠깐 좀 와보렴."

"노, 농담이에요!"

샬롯은 초원 위를 달려 로라 뒤에 숨었다.

그러나 키 차이가 너무 나서 전혀 숨겨지지 않았다.

그래서 샬롯은 로라의 머리 위에 있던 하쿠를 들어 자기 얼굴에 붙였다.

"저기, 샬롯. 그건 별로 소용이 없을 것 같은데요……."

로라는 위를 쳐다보며 룸메이트의 어리석음을 지적했다.

"하쿠로 시선을 가림으로써 현실을 회피할 수 있어요!"

"음…… 그건 신수의 올바른 사용법이 아니에요."

"삐!"

하쿠는 팔다리를 써서 한동안 샬롯의 얼굴에 붙어 있었지만, 이내 귀찮아졌는지 굼실굼실 머리 위로 올라갔다.

그리고 시야를 되찾은 샬롯은 그제야 대현자가 없는 것을 깨달았다.

"어라? 학장님은……."

"여기야~."

"꺄앗!"

대현자는 샬롯이 현실을 외면하는 사이에 기척을 지우고, 샬롯의 등 뒤로 이동해 있었다.

그리고 교복 안에 손을 집어넣어 옆구리를 간질간질 간질였다.

"요, 용서해주세요~~!"

"우후후. 현실에서 눈을 돌리면 안 된다는 교훈이야."

역시 대현자는 낮잠을 방해받은 사실에 상당히 화가 난 모양이다.

로라는 샬롯을 반면교사 삼아 「주무시는 학장님께 박치기를 하지 않도록 조심하자」라고 다짐했다.

"학장님. 샬롯을 간지럽히는 건 그 정도로 하고 내 마법검을 봐줘."

"아아. 그렇지. 샬롯이 낑낑대는 소리가 귀여워서 나도 모르게 그만."

"너무해요. 너무해요!"

"삐—."

"하쿠는 위로해주는군요…… 하쿠는 착해요."

"삐!"

하쿠는 앞발로 샬롯의 머리를 쓰담쓰담 쓰다듬어줬다.

역시 신수는 머리 위에 태웠을 때야말로 최고의 작용을 한다.

"그럼 안나. 마법검으로 날 공격해 봐."

"학장님을? 반격하지 않는 거지……?"

안나는 불안한 얼굴을 했다.

어쨌든 대현자는 인류 최강이었다. 로라조차 발밑에도 미치지 못한다.

그런 그녀에게 반격당하면 아픈 정도로는 끝나지 않으리라.

"괜찮아. 괜찮아. 방어만 할 거야."

"정말이야? 간지럼 같은 거 안 태워?"

"……안나도 귀여운 반응을 할 것 같네."

"난 무슨 짓을 당해도 표정 변화가 없는 캐릭터야."

안나는 창백한 얼굴로 그렇게 중얼거렸다.

이미 표정이 변해버렸다.

"후후, 농담이야. 정말 방어만 할게. 안심하고 공격해."

"알았어. 믿을게."

안나는 끄덕이고는 등에 멘 칼집에서 마법 쌍검을 뽑았다.

그 순간, 마법검들의 **목소리**가 들렸다.

—부우우웅.

—부우우웅.

커다란 날개가 진동하는 것 같은 저음이 울려 퍼졌다.

로라 일행에게는 단순한 소리로밖에 인식되지 않았다.

소유자인 안나만이 목소리로 들을 수 있었다.

"두 자루 다 겁먹고 있어. 학장님이 강적이래. 오라를 조금만 죽여줘."

"오, 오라? 그런 건 뿜지 않았는데…… 어떻게 하면 되려나."

"안심할 수 있는 말과 행동을 해 봐."

"안녕~. 난 칼로테 길드레아! 아름다운 대현자로 불리고 있어.

잘 부탁해! 캬삐!"

"……오히려 겁먹었어."

"어째서!"

"학장님, 느낌이 너무 구식이에요!"

"외모는 젊어도 역시 삼백 살이에요……."

"……너희들, 나중에 전원 간지럼형이야."

"히익…… 안나, 학장님을 쓰러뜨려주세요!"

"그건 너무 억지야."

안나는 체념한 듯이 중얼거리면서, 말투와는 정반대로 거센 마력을 해방했다.

두 자루의 마법검이 내뿜는 번개와 바람은 주위의 풀을 불태우고, 그 재를 피워 올렸다.

번개는 하늘 높이 치솟고, 바람은 보이는 범위의 모든 풀을 뒤흔들었다.

이것도 마법검에 간직된 마력의 극히 일부를 끌어낸 것뿐일 터다.

그런데도, 이 정도 위력이다.

보통의 상대라면 다가가기만 해도 재로 만들어버리리라.

"흠. 그렇구나. 이미 이 단계에서 지적할 부분이 있지만…… 뭐, 일단 덤벼보렴."

그러나 대현자는 태연한 얼굴로 손짓마저 하고 있었다.

그에 안나는 바람을 타고 속도를 높여 순식간에 거리를 좁혔다.

대현자의 머리 위로 두 개의 칼날이 쇄도했다.

힘 조절 따위 생략한 순수 공격이다.

직전에 멈출 생각은 눈곱만큼도 없었다.

두개골을 가르기 위한 공격.

반드시 막아 내줄 거라는 신뢰가 없다면 불가능한 곡예다.

대현자는 폭풍 앞에서도 태연히 서 있었다.

벼락을 맞고도 피부나 머리카락은커녕 옷조차 타지 않았다.

그리고 안나의 신뢰에 부응해, 마법검을 막았다.

다만, 신뢰에 대한 응답이라고는 해도 그 방식은 예상을 뛰어넘는 것이었다.

"무슨?!"

안나는 눈을 휘둥그렇게 뜨고 얼어붙었다.

옆에서 지켜보던 로라와 샬롯도 마찬가지였다.

그 강렬한 두 개의 참격을 대현자는 검지 하나만으로 막아 냈다.

손가락 사이에 끼운 것이 아니다.

정말로 손끝 하나로 안나의 혼신의 일격을 무로 되돌렸다.

"에잇!"

대현자는 그렇게 가볍게 중얼거리며 마법검을 밀어냈다.

그러자 안나는 풀밭 위에 풀썩 엉덩방아를 찧었다.

전의 상실과 함께 바람도 벼락도 사라졌다.

“어머, 안나. 괜찮니?”

“……깜짝이야…… 훈련장을 날려버렸을 때보다 훨씬, 훨씬 마력을 쏟아부었는데.”

대현자는 안나의 팔을 잡아당겨 일으켜 세웠다.

“확실히 마력은 굉장했어……. 하지만 주위에 흩뿌리기만 해서 위력에는 도움을 주지 못했어. 보이는 게 화려할 뿐이야.”

“하지만 실제로 훈련장은 날렸어!”

“넓은 범위를 공력하려고 한 거라면 괜찮지만, 눈앞의 상대를 공격하려고 주위를 날려버리는 건, 그건 마력을 제어하지 못했다는 거야.”

“흠. 배웠어.”

안나는 깊이 끄덕였다.

로라와 샬롯도 새삼 공격 마법의 기초를 재확인했다.

특히 상대가 작은데도 쓸데없이 넓은 범위를 파괴하는 것은 두 사람 모두 흔히 범하는 실수다.

마력 낭비이니 좀 더 효율적인 전투법을 명심해두고 싶었다.

“그리고 학장님. 아까 안나의 공격을 막기 전에 『이 단계에서 지적할 부분이 있어』라고 하셨는데, 그게 뭐예요? 저는 굉장한 마력이구나라는 생각밖에 안 들었어요.”

"저도 궁금해요. 안나뿐만 아니라 저희한테도 참고가 될 것 같아요."

"어머, 다들 열정적이구나. 아주 훌륭해. 그래, 지적 말인데…… 마법검에서 끌어낸 마력이 지나치게 강하다는 거야."

대현자의 말을 듣고, 로라, 샬롯, 안나가 일제히 고개를 갸웃했다. 그것을 흉내 내 하쿠도 고개를 갸웃했다.

"마력이 강한 건 좋은 거 아냐? 제어는 못 한 것 같지만……."

안나가 물었다.

"제어가 가능할 때라면 말이지. 이건 안나뿐만 아니라 로라하고 샬롯한테도 적용되는 건데, 필요 이상의 마력은 단순한 낭비를 넘어서 마력 제어를 어렵게 할 뿐이고 역효과도 심해. 왜, 몸을 움직일 때도 힘을 주는 것보다 어깨에 힘을 뺐을 때 더 잘 움직여지곤 하잖아? 마법도 마찬가지야."

"그렇군요. 어렴풋이 알 것 같아요!"

마력 과다라는 감각은 로라 스스로도 종종 느꼈었다.

조금 더 적은 마력으로도 똑같은 것을 할 수 있지 않았을까라는 생각에 여러 번 연습해서 낭비를 줄여왔다.

두드러진 것은 차원 창고다. 건너편 세계로 통하는 문을 열기 위해서는 상당한 마력이 필요하다. 그러나 여러 번 차원 창고를 쓰는 사이에 조금 더 적은 마력으로 빠르게 문을 열 수 있게 됐다.

"저도 예전에는 힘을 줬었지만 요즘은 마력을 효율적으로 쓸 수 있게 됐어요!"

"음…… 샬롯도 로라도 내가 보기엔 아직 멀었어."

"그런 거예요?!"

샬롯은 자신만만한 얼굴에서 무척 충격을 받은 얼굴로 낙심했다.

어지러운 사람이다.

"어쨌든 연습만이 살 길이에요!"

"로라하고 샬롯은 그렇지. 하지만 안나는 검사니까 마력 제어가 서툴러도 어쩔 수 없어……. 애초에 자기 게 아니라 마법검의 마력을 알맞게 끌어내서 제어하는 건 웬만큼 연습해서는 불가능해."

"그럴 수가……. 그럼 난 이 마법검을 제어할 수 없는 거야?"

"조급해하지 마. 안나한테 그 마법검은 무너진 둑이나 마찬가지야. 물이 계속 흘러넘쳐서 제어할 상황이 아닌 거지. 정말 필요한 건 필요할 때 필요한 양의 물을 꺼내 쓸 수 있는 우물이야. 그러니까 내가 마법검을 우물로 개조해줄게."

"개조? 그런 게 가능해?"

"개조라고는 해도 마력이 과도하게 나오지 않도록 슬쩍 술식을 더하는 것뿐이야. 그러니까, 하룻밤만 빌려줘."

"하룻밤이면 되다니 굉장해. 그럼, 잘 부탁드립니다."

그렇게 말한 안나는 대현자에게 마법검 두 자루를 칼집째 건넸다.

그때, 부우우웅 부우우웅 하고 마법검이 구슬픈 저음을 퍼뜨렸다.

"……뭔가, 학장님을 무서워하고 있어. 개조당하기 싫대."

"에이~ 괜찮아. 아프게 안 해~."

—부우우웅.

—부우우웅.

"……아까 손가락으로 칼날을 막힌 게 무서웠나 봐."

"고대 문명의 마법검은 의외로 섬세한 마음을 가졌네……. 뭐, 겁내도 억지로 갖고 갈 거야~."

대현자가 그렇게 말하며 안나에게서 칼집을 건네받자, 마법검들이 붕붕거리면서 달각달각 날뛰기 시작했다.

"그만 포기해……. 지금 이대로라면 너희가 마스터한테 도움이 안 되니까 도와주려는 건데. 말귀를 못 알아듣는 마법검은 차원 창고로 보낼게요!"

두 자루의 마법검은 차원의 저편으로 사라졌다.

가엾게도. 대현자에게 찍히면 고대 문명의 유산이라 해도 도망칠 수 없다.

"학장님. 아무쪼록, 검들한테는 상냥하게 대해줘!"

"어머. 섭섭하네. 난 항상 상냥하잖아?"

"그렇지만. 가끔 상어 인형탈 옷을 입고 우리를 먹으려고 하잖아."

"그건 지나치게 귀여운 너희들 잘못이야!"

그런 말을 하면서 대현자는 차원 창고에서 상어 인형탈 잠옷을 꺼내 눈에 보이지 않는 속도로 갈아입었다.

그러고는 안나를 와락 끌어안고 귀를 하움하움 물기 시작했다.

"아아, 잡아먹힌다. 로라, 샬롯, 살려줘."

"큰일 났어요! 학장님이 상어로 변해버렸어요! 안나가 잡아먹히는 틈에 도망쳐요!"

"안나의 고귀한 희생은 잊지 않을게요……."

"삐!"

"너무해."

안나와 대현자를 내버려두고, 로라와 샬롯은 초원을 뛰기 시작했다.

그러나 다음 순간, 발밑이 빙판으로 뒤덮여 꽈당 하고 나동그라졌다.

"후후후. 나한테서는 못 도망쳐."

"히익. 학장님이 다가왔어요!"

"우리는 잡아먹어도 맛이 없어요!"

"삐! 삐!"

저항했으나 로라도 샬롯도, 그리고 하쿠까지 허무하게 잡아먹히고 말았다.

그렇게 실컷 뛰어 논 뒤 왕도로 돌아와 란정에서 라멘을 먹고 헤어졌다.

내일, 마법검이 어떻게 완성됐을지 기대됐다.

※

"짜잔. 이게 개조한 마법검이야~."

어제와 같은 초원에서 대현자는 차원 창고에서 마법검을 꺼내 양손에 잡고 높이 들어 보였다.

"와아…… 하지만 생김새는 바뀌지 않았네요."

"그거야 마력이 흘러넘치지 않도록 조정한 것뿐이니까."

"개인적으로는 생김새도 파워 업 됐으면 했어요."

로라는 자기 검도 아닌데 볼멘소리를 했다.

그러나 엄밀히 말하면 마력이 흘러넘치지 않게 되었으니 오히려 파워 다운이다. 그런데도 외관만 파워 업 하면 뒤죽박죽이 되고 만다.

"제가 화려하게 꾸며드릴까요?"

샬롯은 알맹이야 어떻든 화려하면 된다는 주의인 모양이다.

"지금 이대로도 충분히 멋있으니까 안 꾸며도 돼."

"안나. 일부러 사양할 거 없어요……."

"그런 거 아니야."

안나치고는 드물게 강한 어조로 거절했다.

어쨌든 샬롯에게 맡기면 마법검이 어떤 모습으로 변할지 모른다.

샬롯은 사복 차림이 멋쟁이니 미적 감각은 있을 거다.

그러나 샬롯이 그린 그림은 완벽할 정도로 엉망이었다.

마법검 꾸미기가 패션과 예술 중 어디에 속하는지는 알 수 없다. 혹시 예술이라면 똑바로 볼 수 없을 만큼 무참한 꼴이 되고 만다.

다시 말해 샬롯에게 마법검을 맡기는 것은 승부가 갈리는 도박이나 다름없다.

모험을 하기에는 리스크가 너무 컸다.

"외관 이야기는 나중에 해~. 마법검으로서의 성능을 확인하는 게 먼저야."

"나도 빨리 그러고 싶어."

안나는 대현자에게서 마법검 두 자루를 건네받아, 벨트로 칼집을 등에 고정했다.

그리고 검을 뽑아 칼날을 반짝이게 했다.

그러자 마법검이 낮은 소리로 울었다.

—부우우웅.

—부우우웅.

"……몸을 마구 주물럭거려서 부끄러웠다고 화내고 있어."

“엑, 학장님. 마법검의 몸을 주물럭거리는 변태셨어요……?!”

“어제 저희를 잡아먹어 놓고 마법검에게까지 손을 뻗다니…… 짐승이에요! 주책바가지예요!”

“삐!”

“뭐어?! 오해야. 마력을 억제하는 술식을 만들기 위해서 마법검을 살펴본 것뿐이야. 변태가 아니야…….”

“하지만 두 자루 모두 소녀의 마음에 상처를 입었대.”

“에엥. 같은 여자끼리 뭐 어때~.”

대현자 말대로 마법검의 인격은 둘 다 여성이다.

여자끼리인데 부부인 것도 이상하지만, 애당초 마법검 부부인 것부터가 기묘하다.

사소한 것은 신경 써봤자 소용없다.

분명 고대 문명에는 여자끼리 부부가 되는 풍습이 있었던 것이리라.

“학장님! 여자끼리는 무슨 짓이든 해도 된다는 건 위험한 발상이에요! 그렇죠? 샬롯도 그렇게 생각하죠?!”

“그, 그래요! 해도 괜찮은 건 고작해야 포옹 베개로 삼는 정도예요! 그 이상은 꾹 참는 게 예의예요!”

“으응? 샬롯은 저한테 포옹 베개 이상을 바라는 거예요? 그보다, 포옹 베개 이상이 뭔데요?”

"그건…… 비밀이에요! 별거 아니니까 신경 쓸 거 없어요!"

"네…… 뭔가 수상하지만, 샬롯이 그렇게 필사적이니까 더는 묻지 않을게요."

로라는 자비로운 마음으로 추궁을 관뒀다. 그러나 궁금하기는 했다.

포옹 베개 이상…… 이불일까? 바닥에 까는 이불이라면 너무 가혹하고, 덮는 이불이라고 해도 밤새 샬롯 위를 덮고 있으면 푹 잠들 수 없을 것 같다.

이건 확실히 예의가 아니구나, 하고 로라는 납득했다.

—부우우웅.

—부우우웅.

"옳지. 이제 괜찮아. 다음에 학장님 집에서 잘 때는 나도 같이 갈게."

"아, 재미있을 것 같으니까 나도 갈래요."

"그런 거라면 저도 동행하지 않을 이유가 없어요!"

"어머. 생각해보니 너희들, 아직 우리 집에 온 적이 없구나. 좋아. 언제든지 오렴."

"와아!"

로라는 폴짝 뛰며 기쁨을 표현했다.

대현자는 학교 건물 안에 오직 낮잠을 자기 위해 방을 만들 정도로 기상천외한 사람이다.

그런 사람의 집이라면 진귀한 것들이 잔뜩 있을 게 틀림없다.

"일단 마법검을 써 볼래."

안나는 우선 바람의 마법검을 아무도 없는 쪽을 향해 가볍게 휘둘렀다.

그러자 칼날에서 바람이 뿜어져 나와, 직선상에 있는 풀을 흔들었다.

마치 보이지 않는 손가락으로 덧그린 것처럼.

"……굉장해. 어제까지는 아무리 아끼려고 해도 강풍밖에 쏘지 못했는데. 노린 대로 산들바람이…… 그것도 곧장 날아갔어."

"한결 쓰기 쉽지? 위력의 한계가 낮아졌을 뿐만 아니라 강풍 제어도 쉬워졌을 거야. 해 봐."

"응."

안나는 다음으로 회오리바람을 일으켰다.

그것은 초원 위에서 소용돌이치며 서서히 커지더니, 회오리바람이라고 부를 수 있을 정도의 규모로 변했다.

"교실 정도 크기의 회오리바람인데 이쪽으로는 전혀 바람이 오지 않아. 회오리바람 안에서만 정착해 있어. 게다가…… 바람을 움직일 수 있어."

그 말대로, 회오리바람은 오른쪽으로 갔다가 왼쪽으로 갔다가

하며 신기하게 움직였다.

"완벽히 내 뜻대로야. 이걸로 로라랑 샬롯의 치마를 들춰보자."

"네에?! 무슨 생각을 하는 거예요, 안나!"

"바람을 조종할 수 있게 되면 누구나 같은 짓을 할 거야."

"안 해요!"

"안나가 미쳤어요!"

로라와 샬롯은 쫓아오는 회오리바람을 피해 도망쳐 다녔다.

그러나 아무리 달려도 회오리바람은 포기하지 않았다.

이윽고 3분 정도가 지났을 때, 반대 방향의 회오리바람을 만들어서 상쇄하면 된다는 것을 깨달았다.

"눈에는 눈, 회오리바람에는 회오리바람이에요!"

로라는 멈춰 서서 뒤로 돌아, 안나의 것과 완전히 똑같은 규모의 반대로 회전하는 회오리바람을 만들어 냈다.

그로 인해 두 개의 회오리바람은 에너지를 상쇄하며 소멸했다. 치마는 지켜 냈다.

"안나의 야망을 꺾었어요!"

"역시 정의는 반드시 승리하는 거네요!"

"삐—."

"역시 로라한테는 통하지 않았어……. 하지만 내 팔다리처럼 바람을 조종할 수 있었어. 비교도 안 되게 쓰기 쉬워졌어. 학장님,

고마워."

"후후. 천만에. 이번엔 벼락 쪽을 써 봐. 그쪽도 꽤 괜찮을 거야."

"응."

안나는 벼락의 마법검을 하늘을 향해 쳐들었다.

그러자 그 끝에서 작은 번개가 사방으로 뻗어 나갔다. 번개의 규모는 작아졌다가 커졌다가 하며 바뀌었다.

"와아. 이것도 조절하기 쉬워. 시험 삼아 학장님한테 써 봐도 돼?"

"좋아."

"얍!"

번개는 예고한 대로 대현자를 향해 날아갔다.

상당히 강한 전류인 듯했다. 대현자는 격렬히 불꽃을 일으키고 있었다.

물론 방어 결계로 막아서 대미지를 입을 일은 없었다.

그렇다 해도 전류에 휩싸인 여성이 싱글벙글 웃고 있는 광경은 꽤나 초현실적이었다.

"안나, 저한테도 부탁해요!"

"호잇."

번개는 대현자에게서 샬롯으로 이동했다.

"아아~~. 방어 결계의 두께를 조절했더니 적당한 전류로 마사지를 받는 기분이에요~~."

"와아. 샬롯, 똑똑해요!"

부유 보물고에서도 비슷한 것을 했었지만 전류 조절이 정밀해진 덕분인지 샬롯은 이전보다 기분 좋은 표정이었다.

로라는 자기도 따라 하자고 생각했다.

그러나 다음 순간, 그 생각이 짧았음을 뼈저리게 깨달았다.

"그런 미묘한 두께의 방어 결계는 여차했을 때 곤란해. 에잇."

"으다다다다다!"

마법검에서 뿜어져 나온 번개가 살짝 강해졌다.

그로 인해 전기가 통한 샬롯은 이상한 소리를 내면서 움찔움찔 몸을 떨었다.

"너무해요, 안나! 저한테 무슨 원한이 있는 거예요?!"

"이건 마법검 성능 시험이야. 이것저것 시험하는 건 당연해. 딱히 샬롯을 마사지해주려고 하는 게 아니야."

"그래요, 샬롯. 허술한 방어 결계를 쳐서 전기 마사지를 하려고 하는 게 잘못이에요."

로라는 한순간 전기 마사지를 꿈꾼 자신을 제쳐 두고 샬롯을 비난했다.

"우우…… 그럼 진지하게 방어 결계를 칠게요. 그러니 안나도 진지하게 공격하세요! 힘을 겨뤄요!"

"괜찮겠어? 이 마법검은 엄청 쓰기 쉬워서 내가 이길지도 모른다?"

"자신만만이네요, 안나! 하지만 난 이래 봬도 학교에서 두 번째로 강해요. 그리고 언젠가는 로라를 꺾고 최강이 될 거예요. 그렇게 간단히 지지 않아요!"

"나도 언제까지고 약한 채로는 못 살아."

샬롯과 안나 사이에 불꽃이 튀었다.

그것은 불온한 공기가 아니라, 서로의 힘을 정정당당히 겨루고자 하는 호쾌한 경쟁심이었다.

"젊음이 좋구나~. 다쳐도 고쳐줄 테니까 두 사람 다 힘내~."

"샬롯, 안나 모두 파이팅이에요!"

대현자와 로라의 응원을 받으면서 두 사람은 초원 위에 대치했다.

먼저 공격한 것은 안나였다.

벼락의 마법검을 휘둘러 번개의 참격을 샬롯에게 날렸다.

물론, 그것은 샬롯이 친 방어 결계에 막혔다.

그러나 번개는 미끼였다.

그 눈부신 빛 뒤에 숨어, 안나는 바람을 휘감고 날아올라 샬롯의 머리 위를 노렸다.

두 자루의 마법검이 샬롯의 머리 위로 쇄도했다.

그러나 샬롯은 피하지 않고 오히려 안나를 향해 날아올랐다.

비행 마법으로 급히 속도를 올렸다.

그 결과, 샬롯의 머리가 안나의 배를 강타했다.

"크윽!"

안나는 괴로운 표정을 지으며 상공으로 날아갔다.

그러나, 그뿐이었다. 검을 놓치지도 휘청거리지도 않았다.

박치기를 당하기 직전, 복근에 힘을 준 것이리라. 원래부터 안나의 근력은 평범한 사람을 능가했다. 거기에 강화 마법을 걸면 고속으로 날아오는 박치기도 막아버리는 것이다.

"물의 정령이여. 나의 마력을 바치니. 계약대로 나타나라."

샬롯은 상공으로 날아간 안나를 응시하면서 주문을 외쳐 사람 크기만 한 물의 정령을 스무 마리를 소환했다.

그들은 일제히 안나를 향해 날아갔다. 샬롯은 한 박자 늦게 쫓아갔다.

안나는 쇄도하는 정령을 보면서 더욱 고도를 높여 일정한 거리를 유지하려고 했다.

그것과 동시에 번개의 참격을 날려 물의 정령을 물리치려 했다.

그러나 물의 정령은 번개 따위 아랑곳하지 않고 곧장 안나를 향해 쇄도했다.

"……순수(純水)의 정령?"

"어머. 전사학과에서도 배우나요? 네, 맞아요. 완벽한 순수는 전기가 통하지 않아요. 따라서 이 정령은 번개에는 무적의 방패예요!"

순수의 정령 덕에 샬롯은 방어 결계에 마력을 두르지 않아도 됐다.

여유롭게 안나와의 술래잡기가 가능한 것이다.

“어머. 샬롯도 참 굉장하네. 순수를 소환하는 건 어려운 일인데. 게다가 거기에 정령을 빙의시켜서 스무 명이나 동시에 조종하다니.”

“와아. 학장님 눈에도 굉장하다는 건 정말 굉장한 거예요. 샬롯은 노력파예요!”

“그래. 로라가 없었다면 확실히 학교 최강의 학생으로 불렸을 거야.”

“샬롯은 여러모로 상식이 통하지 않아서 앞으로 어떻게 될지 몰라요. 어쩌면 제가 질지도 몰라요!”

“후후. 그래. 하지만 로라, 그렇게 말하면서도 질 마음은 없지?”

“물론이에요!”

로라는 가슴을 활짝 펴고 말했다.

샬롯의 노력을 인정하는 것과 스스로에게 자신감을 갖는 것은 별개의 문제다.

상대의 힘을 인정하면서 자신이 이긴다고 생각하는 것은 모순이 아니다. 깔보는 것도 아니다.

라이벌이란 그런 것이리라.

로라에게는 대현자라는 따라잡아야 할 목표가 있고, 또 샬롯과 안나가 뒤에서 쫓아오고 있기에 더 강해지고 싶다고 생각할 수 있는 것이다.

“그렇다 하더라도, 완벽한 순수는 분명 전기가 통하지 않지만…… 대기에 닿는 순간 순도가 떨어져.”

“듣고 보니 그러네요! 하지만 샬롯은 오래된 물을 버리고 새로운 순수를 계속 소환하고 있어요.”

“연비가 나쁜 전투법이야. 나라면 정령 주위를 진공으로 만들어서 불순물이 들어오는 걸 막을 거야.”

“하지만 그건 그것대로 힘들어요.”

“그래. 그래서 전기 공격을 막을 거면 괜한 짓 하지 말고 평범하게 방어 결계로 자기를 감싸는 게 효율적이야.”

“그렇군요. 하지만 샬롯의 마력도 꽤 많으니까 그렇게 간단히 없어지지 않을 거예요.”

대현자에게 『연비가 나쁘다』고 평가받은 전투법을 쓰면서도, 샬롯의 표정에는 여유가 있었다.

그것을 본 안나는 불리함을 깨달았는지 도망을 택했다.

진로를 바꿔 지상으로 향했다. 자유 낙하의 가속을 활용해 정령과 샬롯을 따돌리려는 것이다.

“물러요, 안나! 그 정도로는 벗어날 수 없어요!”

샬롯은 순수의 정령을 급히 하강시켰다.

안나는 완전히 포위됐다.

로라는 이로써 승부가 났다, 라고 생각하며 보고 있었는데……… 안나가 그것을 뒤집는 전술을 썼다.

"무슨……!"

샬롯이 경악했다. 안나가 지면과 닿을락 말락 한 순간에 강렬한 폭풍을 일으켜 흙먼지를 감아올린 것이다.

그것에 휘말린 순수의 정령은 당연히 불순물을 빨아들이고 말았다.

따라서 순도가 떨어진다기보다, 눈에 띄게 색깔이 탁해졌다.

이미 흙탕물의 정령이었다.

절연체로서의 기능을 상실했다.

따라서, 벼락이 통하고 말았다.

안나가 쏜 전류에 대미지를 입은 정령은 인간의 형상을 유지할 수 없어졌다.

초원 위에 흙탕물이 번져 나갔다. 그리고, 정령 뒤에 숨어 있던 샬롯에게 번개가 직격했다.

"으다다다다다다다!"

샬롯은 얇은 방어 결계밖에 치고 있지 않았다.

순수의 정령이 방패가 되어줄 거라고 믿어 의심치 않았던 것이리라.

따라서 벼락을 막아 내지 못하고 묘한 비명을 내지르며 쓰러졌다.

"샬롯을 이겼어. 브이."

안나는 손가락으로 브이 자를 그리며 승리를 선언했다.

어지간히 기뻤던지 뺨이 붉게 상기돼 있었다.

"져, 져버렸어요……. 봐주지 않았는데, 그냥 져버렸어요……."

풀밭 위에 대자로 뻗은 샬롯은 하늘을 우러러 맥 빠진 목소리로 말했다.

진 것을 믿을 수 없다는 얼굴이었다.

"안나, 굉장해요! 설마 거기서 역전할 줄은 몰랐어요! 대단한 기지였어요!"

"단숨에 불순물을 넣으면 물의 순환이 늦어질 거라고 생각했어. 노린 대로야."

훌륭한 작전이었다. 안나는 마법검의 마력을 다룰 수 있게 됐을 뿐만 아니라, 그 특성을 살린 전술까지 짤 수 있게 됐다. 그야말로 굉장한 성장 속도다. 로라도 멍하니 있을 수 없었다.

"하지만 샬롯의 방심을 이용한 것뿐이야. 다시 싸우면 내가 져."

"그, 그래요! 방심한 것뿐이에요! 다음번엔 지지 않아요!"

샬롯은 벌떡 일어나 외쳤다.

그러자 대현자가 싸늘하게 웃으며 설교하기 시작했다.

파지직
지직

"어머. 샬롯. 방심했다는 건, 상대의 실력을 간파하지 못했다는 거잖아? 자신만만하게 말할 게 아니야. 그리고 다음번엔 안 진다니. 실전이었으면 다음 같은 건 없어. 네가 지금 살아 있는 건 안나가 최후의 일격을 가하지 않아서야. 깔끔하게 패배를 인정해."

"우우…… 알아요…… 사실은 알고 있어요……. 안나, 안나가 이겼어요……!"

샬롯은 안나의 승리를 축하하고는 눈물을 뚝뚝 흘리기 시작했다.

"샬롯. 울지 마. 또 시합하자. 학장님이 심술궂게 말했지만 이건 실전이 아니야. 다음엔 방심하지 않으면 돼."

"안나…… 오늘은 꼴사나운 싸움을 해서 미안해요…… 이런 저에게 다음 기회를 줘서 고마워요. 다음번에야말로 안나의 검기에 걸맞은 전투법을 펼칠게요!"

"말해두지만 그때 난 더 강해져 있을 거야!"

"그건 저도 마찬가지예요!"

샬롯은 일어나 안나와 굳은 악수를 나누었다.

로라와 대현자는 「멋진 대화야」 라고 감동했다.

"삐!"

하쿠도 감동했는지 로라의 머리 위에서 삐 하고 울었다.

신수를 감동시켰으니 분명 두 사람에게는 은혜가 있으리라.

그건 그렇고, 저녁을 먹을 시간이었다. 로라의 배가 꼬르륵 하고 울었다. 빨리 오믈렛을 줘, 하고 몸이 보챘다.

어제 저녁에는 바람을 피워서 라멘을 먹었다. 반성의 뜻으로 오늘은 아침도 점심도 오믈렛을 먹었는데 그래도 부족했던 모양이다.

"샬롯과 안나의 건투를 빌며 학교 식당에서 오믈렛 파티를 해요!"

"어머나. 깜찍도 해라. 두 사람을 핑계로 오믈렛을 먹고 싶은 것뿐 아니야?"

대현자가 지적했다.

"아, 아니에요! 전 순수하게 샬롯과 안나의 대결에 감동했어요. 그 감동에 대해서 이야기를 나누려면 감동적인 음식인 오믈렛이 필요해요!"

로라는 입에서 나오는 대로 주절거렸지만 의외로 설득력이 있다는 생각에 우쭐해졌다.

특히 오믈렛이 감동적인 음식이라는 대목이 훌륭하다.

분명 인류의 공통된 인식일 것이다.

로라는 자기 말에 찡한 감동을 느꼈다.

"로라. 오믈렛을 먹고 싶다고 우리를 끌어들이는 건 곤란해요. 그리고 아침도 점심도 오믈렛이었으니 적어도 저녁엔 다른 걸 먹어야 해요."

"아, 아니에요……. 저는 정말로 오믈렛으로 두 사람을 축하하려는 거예요!"

"거짓말을 하다니 로라는 나쁜 아이야. 이건 벌을 줘야 해."

"동감이에요. 로라가 착한 아이가 되도록 저도 벌을 줄게요!"

"어머. 재밌겠다. 나도 끼워줘!"

"학장님까지?! 하쿠, 살려주세요. 저는 거짓말 같은 거 하지 않았죠?!"

"삐!"

하쿠는 휙휙 고개를 옆으로 저었다.

"세상에……."

"로라. 각오해."

"각오해요!"

그리하여 로라는 양쪽 귀에 후우 하고 바람이 불어넣어지거나, 허벅지를 슬쩍슬쩍 터치당하는 등 잔뜩 벌을 받고 말았다.

제 3 장 샬롯의 새로운 필살기예요

안나와 샬롯이 초원에서 겨룬 다음 날.

주말이라서 미사키도 초대해, 네 명과 한 마리가 시내에 놀러 가기로 했다.

점심 메뉴는 물론 란정의 라멘이다.

늘 붐비는 란정이지만, 주말 점심이 되면 그 열기는 더욱 대단했다.

가게 밖까지 손님이 줄을 서 있어서 좀처럼 들어갈 기회가 올 것 같지 않았다.

그래서 붐비는 시간을 피할 겸 다른 곳에서 시간을 때우기로 했다.

"쇼트케이크가 맛있는 카페가 있다고 들었습니다. 거기로 갑시다."

"미사키, 좋은 생각이에요!"

"케이크와 라멘 배는 따로 있어요."

"정말 의식 수준이 낮은 사고방식이야. 하지만 인간은 낮은 곳으로 흐르는 법. 케이크를 위해 떠내려가는 수밖에."

"삐—."

신수 하쿠도 끄덕였다.

갈 수밖에 없다는 결론에 이르러, 로라 일행은 카페로 향했다.

그리고 주문한 쇼트케이크는 정말로 맛있었다.

학교 식당에도 디저트로 쇼트케이크가 있지만 이 카페에서 쓰는 생크림은 양도 질도 차원이 달랐다.

그 달콤함은 둘이 먹다가 하나가 죽어도 모를 정도였다.

"세상에는 이렇게 맛있는 쇼트케이크도 있는 거네요…… 인생이란 심오한 거예요."

"쇼트케이크로 인생을 논하다니, 로라에몬 씨의 감수성은 굉장합니다."

"어떤 생물이든 음식이 없으면 살아갈 수 없으니까요. 음식으로 인생을 논하는 건 오히려 자연스러운 거예요!"

"오오! 굉장한 설득력입니다!"

"참고로 인생을 가장 풍요롭게 해주는 건 오믈렛이에요. 여러분도 오믈렛을 찬양하자구요. 으음, 이 가게 메뉴에도 오믈렛이 있어요. 추가하는 수밖에 없어요."

"로라. 그러면 라멘을 못 먹어."

"오늘 점심은 라멘으로 정해졌어요. 아무리 로라라도 그 결정은 뒤집을 수 없어요."

"음…… 그럼 이 가게 오믈렛은 다음에 먹는 걸 기대할게요……."

로라는 순순히 모두의 의견에 따르기로 했다.

아직 맛본 적 없는 오믈렛을 눈앞에서 포기하는 것은 유감스럽기 짝이 없는 일지만, 모험가 학교와 같은 왕도에 있는 카페다. 마음만 먹으면 언제든지 올 수 있었다.

그래서 오믈렛보다 친구들과의 약속을 택했다.

어른스러워졌구나, 하고 로라는 스스로 감탄했다.

"그런데 로라. 차원 창고의 문을 열 때는 뭔가 요령 같은 게 있나요?"

쇼트케이크를 다 먹었을 무렵, 샬롯이 그렇게 물어왔다.

"차원 창고의 요령이요……? 특별히 없지만, 갑자기 왜요?"

"어제 밤새 곰곰이 생각했는데요…… 역시 로라나 학장님의 경지에 이르기 위해서는 차원 창고를 다루는 게 필수예요. 이 문제는 뒤로 미룰 수 없어요. 이제 저도 차원 창고와 진지하게 마주할 때가 온 거예요!"

"어제 밤새? 샬롯, 어제는 저보다 먼저 잠든 거 아니었어요?"

"……꿈속에서 생각했어요!"

"네에…… 재주가 좋네요……."

로라는 꿈의 내용 따위 거의 기억하지 못하고, 기억한다 해도 오믈렛을 먹는 꿈뿐이었다. 제대로 된 생각 따위 하지 않았다. 멍하니 있는 것이 꿈인 것이다.

그런 꿈속에서도 강해지는 것을 진지하게 생각하다니, 사실이라면 대단하다.

"샬롯이 차원 창고를 다룰 수 있게 되면 나는 상대가 안 돼. 차원 창고를 익히는 건 좀 더 미루면 어때?"

"안심하세요, 안나. 안나하고 싸울 때는 차원 창고를 쓰지 않을게요."

"그건 봐주는 거니까 싫어."

"샬롯 씨도 안나 씨도 너무 급합니다. 그런 건 샬롯 씨가 차원 창고를 다룰 수 있게 된 다음에 걱정해도 되는 것입니다. 그런 터무니없는 마법을 간단히 쓸 수 있는 건 로라에몬 씨나 대현자님 정도입니다."

"미사키 말에도 일리가 있어. 걱정하는 건 일러."

안나는 진지한 얼굴로 중얼거리고는 커피를 마셨다.

"그 말은 그러니까, 제가 차원 창고를 익히는 건 한참 뒤라는 건가요?! 너무해요! 오늘 중에 터득해서 제 실력을 알려줄게요…… 차원 창고, 열려라! 열려라!"

그렇게 말하며 샬롯은 팔을 요상하게 휘두르며 공간에 구멍을 내려고 애썼다.

그러나 팔을 휘두르는 정도로는 공간에 구멍은 뚫리지 않았고, 차원의 벽도 넘을 수 없었다.

"샬롯. 가게 안에서 시끄럽게 하면 다른 손님한테 실례예요. 이제 다 먹었으니 나가요."

"열려라! 열려라!"

아직 차원 창고를 연습 중인 샬롯의 팔을 잡아당기며, 로라 일행은 카페를 나왔다.

그리고 아이 쇼핑을 즐기려 했지만 길을 걷는 도중에 샬롯이 계속 「열려라…… 열려라……」 하고 중얼거리는 바람에 부끄러워서 일찍 란정으로 도망치기로 했다.

"그래서 샬롯이 요상한 짓을 하는 것이구나해. 난 또 수상한 종교에 빠진 줄 알고 걱정했다해."

란정의 점장인 란은 주방에서 얼굴을 내밀고 샬롯의 행동을 지적했다.

"난 그런 것에는 빠지지 않아요! 이건 엄연히 마법 연습이에요!"

"그게 뭐든, 수상한 의식이잖아."

주문을 받으러 온 니나가 질린 투로 말했다.

"열려라! 열려라!"

그러나 샬롯은 아랑곳하지 않고 연습을 이어 나갔다.

경이로운 집중력이다.

"샬롯. 가게 안에서는 하지 말라고 아까도 말했잖아요!"

"자자. 지금은 손님도 줄었고 상관없다해."

그때 주방에서 란이 허락을 해버렸다.

대의명분이 생긴 샬롯은 신이 나서 계속할 것이 틀림없었다.

그렇게 생각했더니.

“안 돼. 아무리 다른 손님이 없다고 해도 주문도 안 하고 마법 연습을 하는 건 곤란해. 적어도 뭘 먹을지부터 정하고 해.”

니나가 단호한 투로 말하며 샬롯의 행위를 막았다.

“평소에는 온화한 니나 씨가 화를 내니 박력이 엄청납니다.”

“너무 무서워서 멈춰버렸어요…….”

“정말. 주문이나 해.”

니나는 허리에 손을 얹고 못마땅한 표정을 지었다.

“그럼, 전 차슈면에 토핑은 파로 할게요.”

“난 마늘을 넣은 모험가 라멘으로.”

“저도 모험가 라멘으로 하겠습니다. 마늘과 채소는 듬뿍 넣어 주십시오!”

“그럼, 저랑 하쿠는 일반 라멘으로 주세요.”

“삐.”

모두의 주문을 메모한 니나는 주방으로 들어갔다.

그것을 확인한 샬롯은 다시 차원 창고를 열기 위해 수상한 동작을 하기 시작했다.

“샬롯. 라멘을 기다리는 동안 정도는 얌전히 있자. 그보다, 오늘은 신나게 놀자."

"그래요. 샬롯이 노력파인 건 좋지만 놀 땐 놀자구요!"

"지당한 말씀입니다. 쉴 때는 쉬는 것도 중요합니다."

"이, 이게 마지막이에요……. 이번에도 안 열리면 오늘은 포기할게요…… 열려라!"

샬롯은 자리에서 일어나 기합과 함께 양팔을 쭉 뻗었다.

그 순간, 손목 아래가 사라졌다.

"어?!"

당연하게도 가장 먼저 놀라 소리친 것은 샬롯이다.

눈을 휘둥그렇게 뜨고 팔 끝을 바라보며 말없이 입을 뻐끔거렸다.

안나와 미사키도 어안이 벙벙한 표정을 지었다.

주방에서 란과 니나가 나타나 비명을 질렀다.

그러나 로라는 침착했다.

무슨 일이 일어났는지 알았기 때문이다.

"괜찮아요, 여러분. 샬롯의 손은 차원 창고로 간 거예요. 사라진 게 아니에요."

"차원 창고라고요? 제가, 차원 창고 문을 열었어요?!"

"네. 보세요. 작지만 손목 쪽에 검은 안개 같은 게 생겼죠? 그게 문이에요."

"이, 이게…… 해냈어요! 이제 저도 차원 창고를 쓸 수 있어요!"

샬롯은 크게 기뻐했다. 보고 있는 로라까지 행복해질 만큼 환한 미소였다.

그러나 어찌된 영문인지 샬롯은 순식간에 그 미소를 지우고 새파랗게 질리고 말았다.

"무, 무슨 일이에요……?"

"빠지지 않아요!"

"네?"

"그러니까…… 차원 창고에서 손이 빠지지 않아요!"

"에이. 농담이죠?!"

로라는 샬롯의 팔을 잡아당겼다.

그러나 정말로 빠지지 않았다.

"으응? 퍼즐 조각처럼 꼭 끼여버렸어요…… 믿기 힘들 만큼 절묘한 크기의 문이에요."

"감탄만 하지 말고 어떻게 좀 해주세요오!"

"후후후. 그럼 차원 창고의 선배로서, 이 문을 크게 키워 볼게요. 에잇!"

로라는 기합과 함께 샬롯이 만든 차원 창고의 문에 간섭했다.

그러나, 문에 변화는 없었다. 샬롯의 팔은 빠지지 않았다.

"어라라…… 이상하네요…… 문을 넓히는 것쯤은 간단한 일인데요…… 에잇! 에잇!"

"큰일입니다. 모두 샬롯 씨의 팔을 잡아당기는 겁니다!"

"하지만 힘으로만 잡아당기면 뜯어질 거야."

"뜯기는 건 싫어요!"

로라는 여러 번 문에 간섭을 시도하고, 미사키와 안나는 샬롯의 팔을 힘껏 잡아당겼다.

그러나 샬롯이 아파할 뿐 전혀 진전이 없었다.

"……라멘 다 됐는데…… 어떻게 할 거냐해?"

"안 먹으면 붇는데……."

어느새 란과 니나가 모두의 라멘을 들고 서 있었다.

"음…… 확실히 라멘이 붇는 건 곤란해요…… 샬롯 문제는 나중으로 미루고 우선 라멘부터 먹어요."

"너, 너무해요!"

"하지만 움직이지 못하는 것뿐이지 죽을 위험이 있는 게 아니야."

"잠시만 참으십시오."

"삐—."

그리하여 로라 일행은 식탁으로 돌아와 저마다 주문한 라멘을 먹기 시작했다.

"우우…… 맛있는 냄새가 나요. 먹고 싶어요. 눈앞에 제 차슈면이 있는데 그게 불어가는 걸 바라볼 수밖에 없다니…… 이런 굴욕은 처음이에요오오!"

샬롯은 울며 소리쳤다.

확실히, 차원 창고에 손이 끼여서 차슈면을 먹지 못하는 것은 좀처럼 경험할 수 없는 일이다. 아마도 인류 역사상 처음 있는 일이리라.

"불쌍한 샬롯…… 알겠어요. 제가 먹여줄게요."

로라는 차슈면 사발을 들고, 젓가락으로 면을 떠서 샬롯의 입에 넣어줬다.

"후루룩…… 맛있어요오!"

눈물짓던 샬롯이 맛있는 차슈면에 빙긋 미소 지었다.

"다행이에요, 샬롯!"

"이걸로 다 해결됐어."

"해피엔드입니다."

"다행이에요…… 가 아니라, 아무것도 해결되지 않았어요! 이대로라면 전 평생 란정의 오브제로 살아가야 해요!"

"그건 곤란하다해. 장사에 방해된다해."

란은 심각하게 중얼거렸다.

"흑, 흑…… 저도 딱히 좋아서 이런 곳에 서 있는 게 아니에요. 이제 슬슬 같은 자세로 있는 게 힘들어지기 시작했어요……."

"어쨌든, 내가 만든 라멘이 붇는 걸 보고 있을 수는 없다해. 나머지는 내가 먹여주겠다해."

"아아…… 고마워요……."

란이 면과 차슈를 샬롯의 입에 가져다줬다.

샬롯은 울면서 그것을 호로록 먹었다.

전에 없을 만큼 바보 같은 광경이었다.

그러나 이것은 차원을 넘어선 문제다. 아무리 얼간이처럼 보여도 공간에 구멍이 생긴 것이다. 로라의 힘으로도 해결할 수 없는 심각한 문제였다.

"후우…… 란 씨가 만든 라멘은 여전히 맛있어요!"

"삐—."

라멘을 다 먹은 로라와 하쿠는 배를 문지르면서 여운에 잠겼다.

그러나 그때, 느긋하게 있을 수 없는 사태가 발생했다.

"화, 화장실에 가고 싶어요……."

"맙소사, 샬롯! 그런 건 차원 창고에 끼이기 전에 해결해두세요! 계획성은 중요한 거예요!"

"이런 일을 예측하고 행동하는 건 불가능해요!"

듣고 보니 그럴지도 몰랐다.

그렇다고는 해도, 차원 창고 연습을 그만하라고 모두가 충고했는데도 계속하는 바람에 이렇게 됐으니 자업자득인 것은 변함없었다.

"쌀 것 같아요! 쌀 것 같아요!"

"안 된다해! 가게에서 싸는 건 참아달라해!"

"청소하는 건 우리야!"

란과 니나가 항의했다. 그러나 아무리 항의해봤자, 샬롯에게는 어찌할 도리가 없었다.

"어, 어떡하죠?! 아무리 그래도 이대로는 샬롯이 불쌍해요!"

"만에 하나에 대비해서 양동이를 갖고 오는 겁니다!"

"싫어요. 양동이에 하는 건 싫어요오!"

"하지만 바닥에 하는 것보다는 낫습니다!"

본격적으로 아수라장이 펼쳐졌다.

로라는 평소에 차원 창고를 아무렇지 않게 써왔지만 설마 이렇게까지 무시무시한 마법인 줄은 몰랐다.

강력한 마법일수록 제어에 실패했을 때 무시무시한 부작용을 일으킨다고 들은 적이 있지만…… 그야말로 눈앞의 광경이 그것이었다.

"차원 창고 문제는 학장님한테 물어보면 되잖아?"

이 난장 속에서도 안나는 냉정한 지적을 해줬다.

"그렇군요! 안나, 대단해요! 우리의 두뇌 담당이에요!"

"무슨…… 모두가 지나치게 패닉에 빠진 거라고 생각해……."

"아무튼, 학장님을 모셔올게요! 샬롯, 그때까지 힘내서 버텨주세요!"

로라는 샬롯을 위해 란정을 위해, 뛰기 시작했다.

목적지는 학장실 옆에 위치한 대현자 전용 수면실이다.

※

"학자아앙니이임!"

"삐이!"

그렇게 외치면서 로라는 학장실 문을 열고, 그 옆에 있는 수면실로 향했다.

수면실에 들어가기 위해서는 여러 개의 마법 장치를 넘어야 하지만 로라는 이미 익숙했다.

순식간에 돌파해 수면실로 침입했다.

역시 대현자는 한창 낮잠을 자는 중이었다.

난감한 사람이지만 그래도 이곳에 오면 만날 수 있는 확률이 높다는 알기 쉬운 구석이 있어서 그 점은 무척 도움이 된다.

"학장님! 큰일 났어요!"

"흠냐흠냐…… 무슨 일이야, 로라…… 안나의 마법검에 무슨 문제라도 생겼어?"

"아니에요. 마법검은 괜찮은데…… 문제는 샬롯이에요!"

"샬롯하고 로라가 사고 치는 건 항상 있는 일이잖아."

"그건 그럴지도 모르지만…… 아니, 항상 있는 일이 아니에요!! 샬롯은 몰라도 저는 아니에요!"

"응? 너희 둘은 늘 세트잖아."

"아니에요! 그럼 안나는요? 저희 세 명은 늘 함께예요!"

"안나는 같이 있어도 말리는 쪽이지."

"우우…… 평소의 행실을 확실히 평가받아버렸어요…… 하지만, 저보다도 샬롯이 문제아예요! 란정에 가보시면 알아요. 그보다, 빨리 가주세요! 대위기예요!"

"뭐가 위기인데?"

"샬롯의 방광이요!"

"응……?"

대현자는 영문을 모르겠다는 얼굴을 했다.

정말 눈치가 없는 사람이야, 하고 로라는 분개할 뻔했지만 곰곰이 생각하니 잘못된 것은 자신의 설명이었다.

"간단히 말씀드리면, 샬롯이 차원 창고를 열려고 애썼더니 작은 문을 열어버렸어요."

"어머. 대단하네."

"그런데 그 문에 샬롯의 양손이 꼭 끼여버려서 아무리 잡아당겨도 빠지지가 않아요."

"샬롯답네……. 하지만 로라가 문을 크게 만들어주면 되잖아?"

"그게, 이상하게도 아무리 애써도 꿈쩍도 하지 않아요. 뭔가 이상한 방법으로 열어버린 것 같아요."

"흠…… 하지만 졸려…… 삼십 분만 더 자도 돼?"

"안 돼요! 샬롯의 방광이 한계란 말이에요! 길드레아 모험가 학교의 학생이 라멘 가게에서 오줌을 쌌다는 소문이 나도 괜찮으세요?!"

"그건 곤란하지…… 정말, 너희는 늘 말썽을 일으키는구나. 그러니까 에밀리아의 위가 아픈 거야."

"그, 그래서 늘 에밀리아 선생님한테만 폐를 끼치는 게 죄송해서 오늘은 학장님용 말썽을 일으킨 거예요!"

"말썽을 일으키지 않는다는 선택지는 없니?"

"저희는 그러고 싶지 않지만 말썽이 저희를 가만히 내버려두지 않아요……."

"마치 너희는 잘못이 없다는 것처럼 말하는구나…… 뭐, 어쨌든 란정에 가보자."

"샬롯이 실수하기 전에! 빨리 가요!"

"삐!"

로라와 하쿠는 대현자의 팔을 잡아당겨 침대에서 일으켰다.

그리고 부리나케 란정으로 향했다.

"샬롯의 명예는 아직 무사한가요?!"

"슬슬 한계예요오! 살려, 살려주세요~~!"

샬롯은 양쪽 허벅지를 비볐다가 폴짝폴짝 뛰면서 오줌을 참고 있었다.

오줌 대신 눈물이 흐르고 있었다.

언제 한계가 닥쳐도 문제없도록 란, 니나, 안나, 미사키는 대걸레를 들고 대기하고 있었다.

“흠흠…… 이건 확실히 성가시게 열었네…… 어떻게 하면 이렇게 공간을 비틀 수 있는 거야?”

대현자는 샬롯의 팔 끝에 있는 문을 찬찬히 살폈다.

“모르겠어요. 열심히 했더니 이렇게 됐어요! 관찰하지 말고 빨리 어떻게 좀 해주세요오!”

“네네……. 하지만 금방은 무리야. 어마어마하게 엉킨 끈을 푸는 일이나 마찬가지니까.”

그렇게 말한 대현자는 문을 향해 손을 치켜들고, 눈을 감고 집중하기 시작했다.

“부탁드려요…… 빨리…… 더는, 못 참겠어요…… 아아, 아아아.”

“자, 빠졌다.”

로라 일행이 아무리 잡아당겨도 빠지지 않던 샬롯의 팔이 마침내 쑥 하고 빠졌다.

그 순간, 샬롯은 소리를 지르면서 화장실로 달려갔다.

“휴…… 위험했어요…….”

잠시 후, 샬롯이 웃는 얼굴로 돌아왔다.

"다행이에요, 샬롯."

"본의 아니게 소란을 피웠어요."

"정말입니다. 대현자님도 푸는 데 시간이 걸릴 만큼 공간을 비틀다니, 샬롯 씨는 어지간히 뒤틀린 성격입니다."

"미사키, 그건 넘겨들을 수 없어요! 그런 심한 말을 하는 미사키는 쓰담쓰담형이에요!"

"느아앗, 역시 그렇게 나오는 것입니까! 하지만 당하기만 할 미사키가 아닙니다! 가슴을 만져주겠습니다!"

"꺄앗, 미사키. 그건 반칙이에요!"

샬롯이 미사키의 꼬리를 쓰다듬고, 미사키는 그 간지럼을 참으면서 샬롯의 가슴을 주물렀다.

치열한 전투다. 그리고, 무척 야하다.

"로라. 보면 안 돼."

"아, 안나. 눈을 가리지 말아주세요. 저도 볼 권리가 있어요!"

"그런 건 없어."

안나는 손바닥으로 로라의 눈을 가리고 아무리 저항해도 손을 떼주지 않았다.

"하쿠의 교육에도 안 좋겠어."

"삐? 삐이!"

대현자는 하쿠의 눈을 가린 모양이었다.

하쿠의 원망 섞인 울음소리가 들려왔다.

"아아. 그렇게 세게 가슴을…… 굉장해……."

"니나의 교육에도 안 좋다해. 대현자 씨, 어떻게 좀 해달라해."

"그래. 그럼, 두 사람 다 차원 창고로 보내버리자. 거기서 사이 좋게 놀아~."

차원 창고의 문이 열리는 낌새가 느껴졌다.

그와 동시에 샬롯과 미사키의 목소리가 사라졌다.

"로라. 이제 괜찮아."

안나가 손을 뗐다. 되찾은 시야 속에, 시끄러운 두 사람의 모습은 없었다.

란정은 거짓말처럼 조용해져 있었다.

모두 샬롯의 실수에 대비해서 들고 있던 대걸레를 정리하기 시작했다.

"라멘 가게에서 시끄럽게 굴면 다른 차원으로 보내지는 거군요……."

로라는 진지하게 교훈 같은 말을 중얼거렸다.

그러나 별로 도움이 될 것 같지 않은 교훈이었다. 오믈렛에 대해서 생각하는 것이 훨씬 유익한 시간이리라.

※

“오늘 방과 후에 다시 한 번 그 초원에 가지 않을래요?”

실금 미수 사건으로부터 이틀 후.

학교 식당에서 점심을 먹고 있자니 샬롯이 그런 제안을 해왔다.

“우물우물. 좋아요. 어차피 학교 훈련장에서는 위험해서 아무것도 못 하니까요.”

로라는 오믈렛을 입 안 가득히 넣고 대답했다.

“그래서, 샬롯은 뭘 꾸미고 있는 건데? 오줌 싸는 거면 같이 안 갈 거야.”

안나는 진지한 얼굴로 물었다.

“그런 짓은 안 해요! 실은 어제 하루 비밀 특훈을 해서 새로운 필살기를 익혔어요. 두 사람이 그걸 시험하는 데 함께해줬으면 해요.”

새로운 필살기라는 말을 듣고, 로라와 안나는 서로 얼굴을 마주 봤다.

불길한 예감밖에 들지 않았다.

다시 란정에서와 비슷한 말썽이 일어날 것 같은 예감이 들었다.

다만 초원에서라면 오줌을 싸도 괜찮으리라.

단지 샬롯의 팬티가 축축해질 뿐이다.

"좋아요. 샬롯의 새로운 필살기가 어느 정도인지 확인해줄게요!"

그리고 방과 후.

약속대로 세 사람은 초원으로 왔다.

"삐!"

세 사람과 한 마리다.

"그래서, 샬롯의 새로운 오줌 싸기 기술은 어떤 거예요?"

"오줌이 아니라고 했잖아요! 정말 굉장한 기술이에요. 그걸 증명하기 위해서…… 로라, 저한테 가볍게 공격 마법을 쏴주세요."

"가볍게면 되나요? 있는 힘껏 하지 않아도 되나요?"

"어, 어제 막 터득한 기술이니까 일단은 가볍게 해주세요!"

"……샬롯치고는 상당히 신중한데. 그렇다면 혹시 가짜?"

그런 말을 하면서 안나가 샬롯의 뺨을 손가락으로 쿡 찔렀다.

"세상에. 샬롯의 가짜가 되다니 별 괴짜인 사람도 다 있네요."

로라도 따라서 쿡 찔러봤다.

"가짜가 아니에요! 저도 신중해지는 순간쯤은 있어요!"

"으음. 확실한 증거를 원해요."

"이게 증거예요. 에잇!"

샬롯은 로라를 끌어안았다.

"흠. 이건 어젯밤 포옹 베개가 됐을 때의 느낌하고 같아요. 틀림없이 샬롯이에요."

"믿어줘서 다행이에요."

"하긴, 샬롯으로 변해서 득을 볼 사람은 없으니까요."

"너무해요. 심한 말을 하는 로라는 이렇게 해줄 거예요!"

"아히이~. 뺨은 잡아당기지 마세요!"

로라의 뺨은 잡아당기는 맛이 있는지 여러 사람이 틈만 나면 잡아당기려고 한다.

지금도 샬롯이 쭉쭉 잡아당기면서 행복한 얼굴을 했다.

인류의 행복에 기여할 수 있다면 로라도 어지간한 것은 참겠지만, 이렇게 끊임없이 잡아당겨지는 것은 인내심의 한계를 넘어선 것이다.

"샬롯. 새로운 필살기를 시험하는 거 아니었어?"

안나가 지적하자 샬롯은 아차 하는 표정을 지었다.

"로라가 너무 귀여워서 그만 제정신이 아니었어요. 무서운 로라예요!"

"저로서는 샬롯의 행동이 더 공포예요. 아무튼, 가벼운 공격 마법이라면 불덩어리 같은 거면 되나요?"

"네, 상관없어요. 다만 먼저 확인하고 싶은데, 로라가 말하는 불덩어리는 규모가 어느 정도예요? 설마 도시를 한 방에 불바다로 만드는 거대한 불덩어리는 아닌 거죠……?"

"주먹 크기 정도예요! 가벼운 공격 마법인데 그렇게 굉장한 걸 쓸 리가 없잖아요. 아니면 도시를 불바다로 만들 불덩어리를 원해요?"

"아, 아니에요. 주먹 크기로 부탁할게요!"

샬롯은 그렇게 외치고는 후다닥 달려 로라와의 거리를 벌렸다.

"자, 덤비세요!"

그러고는 자신만만한 얼굴로 로라를 바라봤다.

다만 샬롯이 자신만만해하는 것은 일상이라서 별로 드문 일이 아니다.

로라는 손바닥 위에 불덩어리를 만들어 내, 높이 쳐들어 던졌다.

그나저나 샬롯은 무슨 작정으로 이런 시도를 하는 걸까.

이 정도 크기의 불덩어리는 애당초 샬롯에게는 위협이 아닐 터였다.

방어 결계로 막는 것도 공격 마법으로 상쇄하는 것도 간단한 일이었다.

그것을 굳이 초원까지 와서 하고 있으니 깊은 뜻이 있는 것이리라.

로라가 그렇게 이상하게 생각하자니, 이상한 일이 눈앞에서 일어났다.

샬롯의 눈앞에서 불덩어리의 궤도가 휘어져 하늘 저편으로 날아간 것이다.

방어 결계를 쓴 흔적은 없었다.

바람의 마법으로 날린 것도 아니다.

더욱 이상한 점은 불덩어리가 빗나가는 순간, 풍경 자체가 뒤틀려 보인 것이다.

마치 공간을 비틀기라도 한 것처럼.

"아, 샬롯. 설마!"

"후후후. 그래요. 지금의 제 마력으로는 차원 창고의 문을 완전히 열 수는 없어요. 그걸 역으로 이용해서 어중간하게 문을 열어서 공간을 뒤틀어, 날아온 공격을 빗나가게 한 거예요!"

"와아, 굉장한 발상이에요! 천재 같아요, 샬롯!"

"이 샬롯 가자드. 실패를 통해서도 교훈을 얻는 사람이에요!"

샬롯은 가슴을 활짝 펴고 우쭐해 보였다.

실제로 정말로 굉장한 마법이라고 로라도 생각했다.

공간을 통째로 비틀면 위력의 크기와 상관없이 어떤 공격도 빗나가게 할 수 있다.

"자, 로라. 이번엔 더 강력한 공격을 해주세요. 이제 저한테는 어떤 공격도 닿지 않아요!"

"그럼 하쿠가 공격할게요. 진정한 박격포, 진짜 하쿠 격포를 쏠게요!"

"삐이!"

로라는 머리 위의 하쿠에게 강화 마법을 걸었다.

그러자 하쿠는 입에서 오렌지 색 광선을 뿜어내 샬롯을 공격했다.

하쿠가 뿜는 광선은 강철도 두 동강 낼 정도의 화력을 가졌다.

그러나 뒤틀린 공간을 뛰어넘지 못하고 허공으로 빗나갔다.

"삐이?"

자신의 공격이 빗나간 원리를 이해하지 못했는지 하쿠는 의아하다는 듯이 울었다.

"그럼, 이번엔 내가 공격할게."

"바라던 바예요. 안나, 언제든지 덤비세요!"

"……간다."

안나는 마법검을 뽑고 바람을 조종해 잽싸게 샬롯의 뒤로 이동했다.

그리고 번개를 휘감은 벼락의 마법검을 휘둘렀다.

칼날이 샬롯에게 닿기 직전, 역시 풍경이 뒤틀리고, 검은 땅에 박히고 말았다.

"분명 옆으로 벴는데 세로로 내리쳐버렸어…… 이상한 감각이야."

"후, 후후…… 공간을 지배하는 저에게는 어떤 공격도 통하지 않아요!"

"근데 샬롯. 너 식은땀을 흘리고 있어. 왜 식은땀을 흘려?"

"시, 식은땀이 아니에요. 그냥 더워서 나는 땀이에요."

"이렇게 추운데? 언제 눈이 내려도 이상하지 않은 날씨야."

"원래 더위를 잘 타는 체질이에요!"

"그렇구나. 그건 그렇다 치고…… 에잇."

안나는 한창 대화를 나누던 중에 갑자기 바람의 마법검을 샬롯에게 휘둘렀다.

다시 풍경이 뒤틀리고, 안나는 휘두른 것과 같은 속도로 검을 쳐들고 말았다.

샬롯의 방어는 철벽이었다.

본인 말대로 어떤 공격도 통하지 않는 것처럼 보였다.

그러나 어찌된 일인지 샬롯의 얼굴은 새파랗게 질려 있었다.

"아, 안나…… 갑자기 공격하지 마세요! 깜짝 놀랐잖아요!"

"그렇게 말해도, 공격은 어떻게 상대의 허점을 찌르느냐가 관건이야. 샬롯의 그건, 혹시 갑자기는 못 쓰는 거야?"

"쓰, 쓸 수 있어요! 실제로 안나의 기습 공격을 막았잖아요!"

"하지만 엄청 땀 흘리고 있어. 아슬아슬했다고 얼굴에 적혀 있어."

확실히 로라의 눈에도 그렇게 보였다.

샬롯의 얼굴에는 아슬아슬했어 외에도 「위험했어」, 「죽는 줄 알았어」 등 다양한 글자가 떠 있었다.

"양쪽에서 동시에 공격해 볼게."

안나는 두 자루의 마법검을 꽉 쥐었다.

그러자 샬롯은 양손을 쭉 내밀고 울먹거렸다.

"자, 잠시만요! 동시에 두 군데는 안 돼요!"

"왜 안 되는데?"

"어쨌든 절대로 안 돼요!"

"……두 군데를 동시에 비틀 수는 없는 거야?"

"그, 그런 설도 있어요."

"그 설이 맞는지 확인해 보자."

"안 돼요! 두 동강 나고 말 거예요!"

"다시 말해, 설이 아니라 확실한 거네."

"……네."

샬롯은 비로소 인정했다. 깔끔하게 인정하지 못하는 사람이다.

"어쩌지. 샬롯의 새로운 필살기를 벌써 공략해버렸어……."

안나는 이겨서 뽐내는 것이 아니라, 곤혹스러운 표정으로 마법검을 칼집에 넣었다.

"이 정도로 공략했다고 생각하면 곤란해요! 어제 막 익힌 기술이고 아직 발전하는 중이에요! 지금은 서툴러서 한 군데를 단시간밖에 비틀지 못하지만…… 언젠가 몇 백 군데도 비틀겠어요!"

"흠…… 그럼, 연습을 위해서 지금부터 나랑 로라가 샬롯을 마구 간지럽힐 테니까 여러 군데를 열심히 막아 봐."

"와아. 그거 좋은 생각이에요!"

로라는 안나의 말에 격하게 동의했다.

어쨌든 로라는 언제나 간지럼을 당하는 쪽인 것이다.

가끔은 간지럽히는 쪽이 되어도 좋으리라.

“가, 간지럼을 태우면 집중할 수 없어서 공간을 비틀기는커녕 평범한 방어 결계도 칠 수 없어요!”

“자자. 그 안에서 집중력을 단련하는 것도 수행 중 하나예요. 그럼 샬롯…… 각오하세요!”

“이얍.”

“으샤.”

로라와 안나가 간지럼을 태우자, 샬롯은 중간부터 마법적인 방어를 포기하고 뛰어서 도망쳤다.

로라와 안나는 그것은 비겁하다고 생각하며 뒤쫓았다.

“삐이!”

하쿠는 취지를 아는지 모르는지 일단 날개를 퍼덕거리면서 쫓아왔다.

우당탕 뛰어다는 사이에 이미 해가 저물고 말았다.

하쿠뿐만 아니라 전원이 처음의 취지를 잊고 그저 술래잡기 놀이를 한 것이다.

“……우리가, 왜 달렸던 거죠?”

“분명, 살롯의 실금하고 관련이 있었던 것 같은데.”

“아니에요! 제 새로운 필살기를 시험하고 있었어요!”

"아, 그랬어요. 그래서 샬롯이 간지럼을 참으면 새로운 필살기가 완성되는 거였어요."

"그럼 다시 간지럼 태우자."

"그것도 아니에요! 그런 것보다, 빨리 돌아가지 않으면 학교 식당이 끝날 거예요!"

"그건 안 돼요! 돌아가요. 샬롯의 새로운 필살기도 중요하지만, 『오믈렛이 없으면 싸울 수 없다』라는 명언도 있어요."

"……누구의 명언이지."

로라 일행은 슝 하고 한 번에 날아 학교로 돌아와, 식당으로 뛰어들었다.

빨리 날아와서 영업시간이 끝나려면 아직 상당히 여유가 있었다.

"우린 비행 소녀예요!"

"그건 불량한 느낌이 들어."

"마하 소녀라고 하는 게 더 멋있어요."

"와아. 샬롯은 그런 걸 생각해 내는 데 선수예요!"

"후후후. 작명에는 자신 있어요."

"그렇게 멋있나?"

안나는 의아하게 생각했다.

아무래도 혼자만 다른 감각을 가진 모양이다.

그녀는 셋 중에서도 가장 상식적인 사람에 가깝다. 그런 안나가 부정적인 걸 보면 마하 소녀는 촌스러운 이름일지도 모른다…….

마하 소녀라고 소개하는 건 관두자고 로라는 남몰래 다짐했다.

"아니. 로라에몬 씨, 하쿠 님. 샬롯 씨와 안나 씨까지. 오늘은 늦은 저녁이시군요."

식당에서 일하고 있던 여우 수인 미사키가 카운터 안쪽에서 말을 걸어왔다.

"초원에서 특훈을 하고 왔어요!"

"일부러 왕도 밖까지 나가서 특훈을 하신 겁니까. 굉장합니다. 저도 같이 가고 싶지만, 역시 세 분의 특훈에는 따라갈 수가 없습니다."

미사키는 아쉬운 듯이 말했다.

실제로 특훈을 했던 시간은 짧고 대부분 술래잡기를 하며 보냈지만 모처럼 미사키가 존경하는 눈빛을 보내니 잠자코 있는 게 나으리라.

"특훈을 해서 힘이 다 빠졌어요. 오믈렛 주세요! 하쿠 것도요!"

"알겠습니다. 로라에몬 씨는 어떤 순간에도 오믈렛이군요."

저마다 원하는 메뉴를 주문해 쟁반에 얹어 식탁으로 향했다.

"그나저나 여러분. 제 새로운 필살기 이름을 같이 생각해주세요!"

샬롯이 햄버그스테이크를 칼로 자르면서 그런 말을 했다.

"아직 미완성 기술인데 이름을 붙이려고? 그런 걸 실전에서 썼다가는 자기 자신을 필살할 것 같은데."

안나는 냉정한 지적을 한 뒤 새우 볶음밥을 입으로 가져갔다.

"이름은 중요해요. 필살기 이름이 정해지면 수행할 때도 집중하게 돼요. 그리고 안나도 남의 일이 아니에요. 그 마법검들한테 아직 이름을 지어주지 않았잖아요?"

"……바람의 마법검, 벼락의 마법검이면 안 돼?"

"너무 평범해요! 모처럼 강력한 검이니까 강해 보이는 이름을 붙이는 게 보통이에요!"

"샬롯한테 보통이 무엇인지를 들어버렸어…… 로라는 어떻게 생각해?"

"음…… 보통인지 뭔지는 몰라도, 저라면 이름을 붙일 거예요. 유일무이한 검이니까요!"

"흠. 왠지 그런 기분이 들기 시작했어."

안나가 끄덕이자 식탁에 걸쳐 세워둔 칼집 안에서 마법검들의 목소리가 들려왔다.

—부우우웅.

—부우우웅.

"두 자루 다 이름이 갖고 싶대. 뭔가 생각해 봐야겠어."

"후후. 제 말이 맞죠?"

"응. 샬롯이 옳았다는 건 인정할 수밖에 없어. 근데 어떤 이름을 지어주지. 검의 이름 같은 건 생각해 본 적이 없어서 어려워."

"고대 문명의 마법검이니까…… 에이션트 그레이트 얼티미트 매지컬 파이어 블레이드 같은 건 어때요?!"

샬롯은 자신 있는 작명이었는지 몸을 쑥 내밀며 제안했다.

"……벼락하고 바람 속성인데 어째서 파이어야?"

"그럼 그 부분을 샌더와 허리케인으로 바꾸면 돼요…… 잠깐, 아니에요. 고대어로 벼락은 케라우노스, 바람은 아네모이라고 했어요. 그러니까 에이션트 그레이트 얼티미트—."

"길어. 간단하게 『케라우노스』랑 『아네모이』면 돼."

안나는 샬롯의 말을 끊고 마법검의 이름을 정해버렸다.

—부우우웅.

—부우우웅.

"그래. 마음에 들었다니 다행이다."

안나는 두 개의 칼집을 쓰다듬었다.

"저는 긴 게 좋은 것 같지만…… 본인…… 아니, 검들이 마음에 든다면 그게 제일이죠."

샬롯은 뒤로 물러나서 다시 햄버그스테이크를 먹기 시작했다.

"삐!"

그때 식탁 위에서 오믈렛을 먹고 있던 하쿠가 어째선지 자기주장을 하기 시작했다.

하쿠는 그릇을 앞발로 누르고 능숙하게 오믈렛을 먹고 있었다. 정말 사랑스러운 모습이다. 그러나 지금은 오믈렛을 먹는 것을 멈추고, 얼굴을 들고 「삐, 삐!」 하고 울었다.

"아. 혹시 이름은 간단한 게 제일이라고 한 거예요? 하쿠 이름도 간단하니까요."

"삐이."

하쿠는 크게 끄덕였다.

어쨌든 하쿠의 모습은 하얀 드래곤이다.

하얘서 하쿠(白).

더할 나위 없이 간단하고 알기 쉬운 이름이다.

"신수가 하는 말이니 좋은 이름이에요."

"다행이다. 그럼 이제 샬롯의 필살기 이름을 지을 차례야."

"저는 하쿠가 무슨 말을 하든 제가 믿는 이름으로 지을 거예요!"

"그래야지 샬롯이라고 생각해요!"

로라는 솔직하게 말했다.

샬롯은 자신의 길을 꿋꿋하게 밀고 나가는 것이 어울린다.

다른 사람의 시선을 신경 쓰는 것은 어울리지 않았다.

뭐, 지나치게 신경 쓰지 않는 것도 생각해볼 문제지만.

"로라. 알아준 거예요?!"

"네. 누가 뭐라 해도 전 샬롯이 멋있다고 생각해요! 아예 기술

이름에 샬롯을 넣는 건 어때요?"

"제 이름을요?! 그건 생각지도 못했어요!"

로라와 샬롯은 흥분해서 떠들었다.

한편 안나는 믿을 수 없다는 표정을 지었다.

"기술에 자기 이름을…… 부끄러워…… 참을 수 없어……."

그러나 그것은 어디까지나 안나의 의견이다.

상식을 깨부술 때야말로 비로소 모험가다.

남들이 살짝 촌스럽다고 할지언정 밀고 나가는 의지가 필요한 것이다.

그것이 살짝이 아니라 엄청나게 촌스럽게 여겨진다면 싫지만…… 조금이라면 괜찮으리라.

로라도 이거다 싶은 기술을 짜내면 자기 이름을 붙이자고 생각했다.

"방어에 쓰는 기술이니까 거기에 어울리는 이름으로 하고 싶어요. 샬롯 베리어는 어때요?"

"너무 단순해요. 좀 더 화려하지 않으면 이 기술의 위대함이 전달되지 않아요."

"그렇군요…… 그럼 샬롯이라면 어떤 이름을 지을 거예요……?"

"고저스 샬롯의 화려한 디멘션 베리어요!"

"와아…… 잘 모르겠지만 멋있어요! 특히 자신을 고저스라고 칭

하는 자신감이 굉장해요!"

"후후. 말하는 건 공짜니까 말하지 않는 게 손해예요."

그렇게 말하며 샬롯은 가슴을 뒤로 젖혔다.

실제로 고저스한 가슴을 갖고 있었다.

로라도 따라서 고저스 로라라고 할까 생각했지만, 고저스한 부분이 없어서 그만뒀다.

제4장 최대 위기예요

"그건 그렇고, 모처럼 마법검을 손에 넣었으니 슬슬 직접 베어 보고 싶어."

식후 디저트로 푸딩을 먹고 있자니, 갑자기 안나가 무서운 말을 꺼냈다.

로라와 샬롯은 하얗게 질렸다.

"히익…… 제 방어 결계는 단단해서 벨 수 없어요!"

"저, 저도 전력 질주로 도망칠 거예요!"

"……아무도 두 사람을 벤다는 소리는 안 했어. 몬스터를 베는 게 당연하잖아."

안나는 황당하다는 듯이 중얼거렸다.

"아아, 다행이다. 이쪽을 보면서 말하니까 무슨 일인가 했어요."

"안나. 주어는 중요해요. 생략하면 곤란해요."

"미안. 근데 두 사람의 독해력에도 문제가 있다고 생각해……."

하긴, 안나가 로라와 샬롯을 베려고 생각할 리가 없었다.

알고 있었지만 안나의 목소리가 박력이 넘쳐서 저도 모르게 떨고 말았다.

"아무튼 듣고 보니 모처럼 케라우노스와 아네모이를 손에 넣었는데 특훈만 하고 실전에서는 쓴 적이 없네요. 그럼 내일 방과 후에는 몬스터 사냥을 갈까요?"

"테스트를 할 거면 가능한 한 거대한 몬스터가 좋을 거예요!"

"나도 상대가 큰 건 대환영이지만 큰 몬스터는 랭크가 높아. C랭크 이상 몬스터를 쓰러뜨리는 건 교칙 위반이야."

안나가 지적한 대로 길드레아 모험가 학교에는 『재학생은 D랭크 이하 몬스터와만 싸울 수 있다』라는 교칙이 있었다.

길드레아 모험가 학교를 졸업하면 자동적으로 모험가 길드에서 C랭크 모험가로 인정받는다.

거꾸로 말하면, 재학생 중에는 그 이하의 실력밖에 없다는 뜻이다.

다시 말해, 『D랭크 이하 몬스터와만 싸울 수 있다』라는 교칙은 아직 미숙한 학생들을 지키기 위해서 존재하는 것이다.

"괜찮아요. 1학년은 몰라도…… 3학년 선배들은 몰래 강한 몬스터와도 싸운다고 들었어요."

"그래요. 그 교칙은 일반적인 학생을 위한 거예요. 상위권 학생은 졸업 전에 C랭크 이상의 실력을 갖고 있어요."

"선배들은 눈에 띄지 않게 잘하니까…… 우리는 눈에 띄어…… 어떻게 하든 들킬 거야."

"그럴 때야말로 변장이에요! 파자마레인저가 나설 차례예요!"

"……파자마레인저의 정체는 이미 선생님들한테 들켰어."

"끄응…… 그럼 변장을 강화해요. 지금이야말로 파자마레인저가 제2형태로 진화할 때예요!"

로라는 주먹을 불끈 쥐고 기합을 담아 선언했다.

그러나 샬롯과 안나는 회의적인 반응이었다.

"삐—."

하쿠도 걱정스레 울었다.

그러나 로라는 자신 있었다.

파자마레인저의 약점은 인형탈 잠옷 밖으로 얼굴이 보인다는 점이다.

그렇다면 그 부분을 개선하면 모든 사람의 눈을 속일 수 있을 것임이 틀림없다.

그리하여 다음 날 방과 후.

수업이 끝남과 동시에 학교 앞 잡화점으로 달려가 선글라스를 샀다.

그리고 로라는 인형탈 잠옷으로 갈아입고, 그 상태에서 선글라스를 꼈다.

"짜잔. 이게 파자마레인저 제2형태예요. 얼굴을 선글라스로 가림으로써 변장은 완벽해졌어요!"

"……정말이에요? 제 눈에는 완벽하고는 거리가 먼 것 같은데요."

"동감이야. 들어서 손해 보는 말은 안 하니까 그만두는 게 좋아."

"그건 샬롯과 안나가 제 정체가 로라인 걸 알아서예요. 선입견이에요. 지금 전 파자마레인저 멍멍 1호 제2형태예요. 새 마음으로 보면 로라라고는 전혀 생각하지 않을 거예요."

"그럴까."

안나는 싸늘한 목소리로 말했다.

전혀 믿지 않는 듯하다.

로라는 그것 참, 하고 생각하면서 교무실로 향했다.

"지금부터 돌격할게요. 후후후. 선생님들은 아무도 제 정체를 눈치채지 못할 거예요……. 아, 그래도 하쿠를 머리에 얹고 있으면 들킬 테니까 샬롯한테 맡길게요."

"좋아요. 결과가 어떻든 로라의 노력은 높이 사요."

"힘내—."

"삐—."

모두의 응원을 받으며 로라는 교무실 문을 열어젖히고 뛰어들었다.

그 순간!

"로라 이 녀석아. 교무실에 들어올 때는 노크하고 반하고 이름을 말한 다음에 들어오는 거라고 배웠잖아!"

에밀리아에게 혼나고 말았다.

"앗, 죄송합니다!"

로라는 황급히 교무실을 나왔다.

복도에는 정색을 한 샬롯과 안나가 기다리고 있었다.

"……어떻게 된 걸까요. 바로 들켜버렸어요."

"일 초도 안 걸렸어요."

"삐이."

"자. 오늘도 로라의 귀여운 실패를 구경했으니 슬슬 진지하게 문제를 얘기하자."

"전 진지했어요!"

로라는 자신의 진지함을 강조했지만 누구도 진지하게 들어주지 않았다.

각박한 세상이다.

※

"역시, 곤란한 일이 생겼을 땐 학장님한테 상담하는 게 제일이라고 생각해. 매사에 장난치는 것처럼 보여도 이것저것 의지가 되니까."

복도를 걸으면서 안나는 그런 의견을 냈다.

대현자가 마법검을 개조해준 뒤부터 안나의 마음속에서 대현자에 대한 평가가 급격히 높아진 듯하다.

그리고 실제로 대현자만큼 의지가 되는 사람은 없었다.

상어 코스프레를 하고 공격하거나 학생이 시키는 대로 축제 때 야한 옷을 입는 등 유감스러운 부분도 많지만 종합적으로는 위대한 사람이다.

그 유감스러운 부분이 지나치게 유감스러워서 섣불리 접근하면 굉장한 말썽에 휘말릴 때도 있다.

그러나 로라 일행은 선부른 성격인지라 쉽게 쉽게 접근하고 만다.

그리고 대현자가 없더라도 말썽은 일어나니 의지해도 문제는 없으리라.

그렇지만—.

"이건 어떻게 들키지 않고 교칙 위반을 하느냐의 문제예요. 학장님도 선생님이에요. 아무리 학장님이라도 도와주지 않을 거예요."

"듣고 보니 그러네……."

"투명해지는 마법 같은 건 없을까요?"

"찾아보면 있겠죠. 하지만 선생님들한테 여쭤볼 수는 없으니…… 도서실에 가서 알아봐요."

"좋은 생각이에요! 그럼 도서실로 레츠 고 해요!"

"삐—."

로라 일행은 도서실로 타박타박 걸어갔다.

언제나 복도를 뛰어다녀서 혼이 나지만 로라는 곧 열 살이 되니 슬슬 의젓하게 행동하려고 노력했다. 어른이 되는 것이다.

도서실에 갔더니 검은 머리카락에 안경을 낀 도서 위원장이 언제나처럼 카운터에 앉아 책을 읽고 있었다.

도서 위원장은 아주 잠깐 고개를 들어,

"인형탈 잠옷에 선글라스…… 로라 귀여워……."

하고 중얼거리고는, 다시 책을 읽었다.

"도서 위원장한테도 바로 들켰어."

안나는 그렇게 말하고, 로라의 인형탈 잠옷에 달린 귀를 손가락으로 만지작거렸다.

"우후후. 로라의 귀여움은 이 정도로는 감춰지지 않는다는 거예요."

샬롯도 반대쪽 귀를 잡고 살짝 움직였다.

"으음…… 저는 완벽한 변장이라고 생각했어요……."

"삐이?"

하쿠까지 황당하다는 반응을 보였기에 로라는 이 화제는 더 이상 파고들지 않는 게 좋겠다고 확신했다.

"그건 끝난 이야기예요. 지금은 마법에 관한 책을 찾아야 해요."

"변장술에 관한 책도 괜찮지 않아요?"

"분명 또 금방 들켜서 에밀리아 선생님한테 혼날 거야."

샬롯과 안나가 히죽거리면서 말했다.

로라는 그것을 무시하고 마도서 코너로 향했다.

"환혹계 마법 대백과…… 여기라면 나와 있을 것 같아요."

그럴듯한 책을 발견했다. 그러나 책장 제일 위 칸에 꽂혀 있어서 손이 닿지 않았다.

그러나 하쿠가 파다닥 날아 책을 꺼내줬다.

"하쿠, 고마워요. 하지만…… 이게 아니에요. 제가 원한 건 그 옆에 있는 책이에요."

"삐?"

하쿠가 갖고 온 것은 『오늘부터 가능한 마법 소녀』라는 의문의 책이었다.

로라는 폴짝 뛰어 그 책을 원래 자리에 꽂는 것과 동시에 원래 보려고 했던 책을 뽑아서 착지했다.

그러자 하쿠도 로라의 머리 위에 착지했다.

"샬롯. 안나. 그럴듯한 책을 찾았어요. ……어째서 변장술 책을 들고 히죽거리는 거예요? 저는 그런 것에는 의지하지 않아요. 이미 다음 단계로 진입했어요."

언니들의 괴롭힘을 무시하고 로라는 의연한 태도로 의자에 앉아 책을 펼쳤다.

로라에게 무시당한 것이 충격이었는지 샬롯과 안나는 잠시 슬픈 얼굴이 되어 변장술 책을 책장에 돌려놓고는 로라의 양옆에 앉았다.

"여길 보세요. 여기에 인식 저해 마법이라는 게 나와 있어요. 환혹 마법이라는 건…… 특수 마법이네요."

로라는 책을 손가락으로 가리키면서 두 사람에게 보여줬다.

마법에는 다양한 종류가 있지만 대략적으로 『공격 마법』『방어 마법』『회복 마법』『강화 마법』『소환 마법』『특수 마법』 여섯 종류로 나뉘었다.

이 중에서도 특수 마법은 다른 다섯 가지로 분류될 수 없는 마법을 모두 모은 것이다. 따라서 특수 마법 안에도 세세한 분류가 존재했다.

예를 들면, 지금 로라가 읽고 있는 책의 제목이기도 한 환혹 마법, 또는 비행 마법. 이것들은 특수 마법의 일종이다.

저마다 익혀야 할 것이 다 달라서 같은 계통의 마법이라고는 하기 어렵다.

단 한 가지 공통점은 특수 마법은 모두 난이도가 높다는 것이다.

따라서 다른 다섯 계통의 마법을 쓸 수 있어도 특수 마법만은 쓰지 못하는 사람도 있다.

재능이 있는 자에게만 허락되는 마법인 것이다.

일부에서는 특수 마법을 다룰 수 있어야 진정한 마법사라는 말까지 있는 모양이다.

"저는 특수 마법 적성치가 9999니까 연습하면 할 수 있을 거예요."

"저도 105예요. 할 수 있을 거예요!"

"내 특수 마법 적성은 10…… 기운 빠져……."

"아, 안나는 검사니까 어쩔 수 없어요……!"

"그래요. 그 대신 안나한테는 훌륭한 검기와 믿음직한 마법검이 있잖아요!"

로라와 샬롯이 의기소침해하는 안나를 위로했다.

그러나 결국 이 인식 저해 마법인가 뭔가를 안나가 익히는 것은 무리다.

이것을 써서 정체를 숨기기 위해서는 로라와 샬롯이 도와야 할 것이다.

"두 사람 다 고마워…… 그래서, 인식 저해 마법이라는 건 결국 어떤 마법이야?"

"그러니까 말이죠, 이름 그대로 타인에게…… 아니, 다른 모든 존재에게 인식되지 않는 마법인 것 같아요. 단순히 모습이 보이지 않는 것뿐만 아니라, 큰 소리로 외쳐도 들키지 않아요. 그뿐만 아니라 닿아도 눈치채지 못 한대요."

"굉장해. 다시 말해서 미사키의 꼬리를 마구 만져도 싫어하지 않는다는 거야?"

"와아, 그런 사용법도 있었네요. 하지만 그럴 경우, 미사키는 만지는 것 자체를 깨닫지 못하는 걸까요? 아니면 만지는 건 알지만 누가 만지는지 모르는 걸까요?"

"이 책에 나와 있는 한, 만지는 건 눈치채도 누가 만지는지는 인식하지 못하는 모양이에요."

"눈앞에 있어도?"

"정면에서 만져도 모르는 것 같아요!"

"굉장해. 로라의 뺨을 마음껏 주무를 수 있어."

"굉장한 마법이에요!"

"그런 사악한 사용법은 허락하지 않아요!"

로라는 항의했지만 샬롯과 안나는 들은 척도 하지 않았다.

춤을 추듯이 일어나 책을 들고 카운터로 가 대출 신청을 해버렸다.

로라도 책을 빌리는 것 자체에 이견은 없었다.

그러나 두 사람은『정체를 숨긴 채 강하고 거대한 몬스터를 사냥한다』라는 본래의 목적을 잊고 있는 게 아닐까라는 의심이 들었다.

절대로 뺨을 만지게 놔두지 않겠다고 다짐하면서 로라는 두 사람을 좇아갔다.

※

그리고 세 사람과 한 마리는 환혹계 마법 대백과를 들고 로라와 샬롯의 방으로 갔다.

침대에 편하게 누워서 더 자세히 읽기 위해서다.

"흠흠. 인식 저해 마법은 자신을 투명하게 하거나 상대의 오감에 작용하는 것이 아니라…… 자신의 존재 자체를 이 세계로부터 없애고, 살짝 어긋난 세계로 이동시키는 것이다…… 그 상태에서 이쪽 세계에 일방적으로 간섭할 수 있다, 래요."

"로라, 굉장해. 난 뭐가 뭔지 너무 어려워서 모르겠어."

"에헴. 이래 봬도 마법학과니까요."

로라는 「흥」 하고 거칠게 콧김을 뿜으며 으스댔다.

사실은 책의 문장을 소리 내서 읽었을 뿐, 딱히 깊이 이해한 것은 아니었지만 모처럼 안나가 칭찬해줘서 그냥 잘난 척해봤다.

"그나저나…… 자기 존재를 세계에서 지우다니. 차원 창고 이상으로 고도의 마법 같아요. 어쨌든 세계를 근본적으로 바꾸는 거니까요. 이런 마법을 쓰는 사람이 정말 있을까요……?"

샬롯이 의문을 제기했다.

"으음…… 이 마법은 이론상의 마법이고 실제로 쓰는 사람은 확인되지 않았다……래요."

"그럼 누군가가 멋대로 생각한 것뿐이고 실제로 존재하는 마법이 아니라는 거야?"

"요약하면 그런 거죠……."

로라와 안나는 어깨를 축 늘어뜨렸다.

그러나 샬롯만은 오히려 눈을 반짝거리면서 온몸에서 기합을 뿜어냈다.

"이론상일 뿐 아직 누구도 쓰지 못하는 마법…… 그걸 쓸 수 있게 되면, 제 이름은 역사에 남을 거예요!"

"쓸 수 있게 된다면 말이지."

안나는 차갑게 중얼거렸지만 샬롯의 의지는 그 정도로는 조금도 흔들리지 않았다.

"이 샬롯 가자드. 노력으로는 누구에게도 지지 않아요! 바로 연습이에요! 인식, 저해! 세계여, 제 존재를 지우고 위상이 뒤틀린 세계로 이동시키세요! 에잇, 에잇!"

샬롯은 적당히 주문 같은 것을 외면서 에잇, 에잇 하고 외쳤다.

상당히 시끄럽다. 굉장한 존재감이다. 싫어도 눈에 들어오고 만다.

"샬롯. 좀 조용히 해주세요. 저도 해볼게요. 샬롯이 시끄럽게 하면 집중할 수가 없잖아요."

"이건 어려워요. 아무리 로라라도 하루아침에는 성공하지 못할 거예요."

정말 그럴까. 무슨 일이든 해보지 않고서는 모르는 법이다.

로라는 눈을 감고 집중했다.

"세계여. 삼라만상이여. 내 마력을 삼키고 내 존재를 지워라. 모든 눈과 귀와 코를 속이고, 육감조차 현혹시켜라. 환영을 넘어 허무가 되어라."

입이 자연스레 주문을 읊었다.

그리고 로라의 마력이 세계에 구석구석 스며들고, 무언가가 어긋나기 시작했다.

눈에 보이는 경치는 변함없었다. 샬롯과 안나의 호흡도 들렸다.

그런데 그녀들과 같은 방에 있다는 감각이 사라져갔다.

로라는 지금, 세계에서 살짝 어긋났다.

"로라와 하쿠가 사라졌어요!"

"방금까지 여기에 있었는데…… 어디로 갔어……?"

샬롯과 안나는 두리번거리며 로라를 찾았다.

같은 침대 위에 앉아 있는데도 두 사람에게는 보이지 않았다.

"로라가 없어요…… 마력도 감지할 수 없어요…… 어디에도 없어요오오오!"

"샬롯. 저는 여기 있어요. 머리 위에 하쿠도 있어요."

"삐—."

"로라. 로라아아아!"

목소리도 들리지 않는 모양이다.

인식 저해는 완벽히 성공했다.

너무 완벽해서 샬롯의 울음이 터지고 말았다.

"진정해, 샬롯. 우리가 인식하지 못하는 것뿐이지 이 어딘가에 있을 거니까."

"하지만 다른 사람도 아닌 제가 가까이에 로라가 있는데도 낌새조차 느끼지 못하다니…… 이건 없는 거나 다름없어요……! 서, 설마 로라는 마법에 실패해서 정말로 사라져버린 게 아닐까요……?"

샬롯이 터무니없는 걱정을 하기 시작했다.

아니에요, 라고 말해주고 싶지만 목소리가 닿지 않았다. 이건 곤란했다.

"삐—."

그때 하쿠가 로라의 머리에서 날아올라 샬롯의 가슴으로 뛰어들었다.

그러나 샬롯도 안나도 그것을 깨닫지 못했다.

아무래도 인식 저해 마법을 발동할 때 로라의 몸에 닿아 있던 것은 그 뒤에 로라에게서 떨어져도 마법 효과가 지속되는 모양이다.

"뭐, 뭔가 가슴이 무거워진 기분이 들어요……."

"샬롯. 갑자기 가슴 큰 걸 자랑하고, 왜 그래?"

"자랑한 게 아니에요! 정말 무거워졌어요! 서, 설마 로라가 제

가슴을 만지고 있어서……? 시, 싫어요, 로라…… 만지고 싶으면 이런 번거로운 짓을 할 게 아니라 언제든지 말해주면…….”

그때, 로라는 인식 저해 마법을 해제했다.

“아, 로라가 나타났어. 아까하고 똑같은 자리에 앉아 있어.”

“저는 한 걸음도 움직이지 않았어요!”

“뭐야…… 제 가슴을 만진 건 하쿠였군요…….”

샬롯은 실망한 목소리로 말했다.

“삐이?”

하쿠는 샬롯이 실망한 이유를 모르는지 의아하다는 듯이 울었다.

그리고 로라도 이유를 몰랐기에 하쿠에게 어떤 답도 해줄 수가 없었다.

“그나저나 이건 굉장한 마법이에요. 저뿐만 아니라 저와 닿아 있던 하쿠까지 사라졌어요. 다시 말해, 샬롯하고 안나하고 손을 잡고 마법을 걸면 다 같이 사라질 수 있어요. 강력한 몬스터를 원하는 만큼 실컷 사냥할 수 있어요!”

“굉장해요! 바로 실험해 봐요!”

“다시 한 번 교무실에 가 보자.”

“그럼 두 사람 다 제 손을 잡으세요.”

샬롯과 안나는 로라의 손을 꼭 잡았다.

그렇게 세게 잡지 않아도 되는데라고 생각하면서, 로라는 주문

을 읊어 인식 저해 마법을 발동시켰다.

"……이걸로 정말 사라진 거예요?"

"난 모두가 보여."

"투명해진 게 아니라 세계에서 어긋난 거니까요……. 똑같이 어긋난 우리는 같은 장소에 있기 때문에 서로가 보이는 거예요. 확실해요."

"알 것 같기도 하고 모를 것 같기도 하고……."

"이치를 따지는 건 나중에 해도 늦지 않아요. 그것보다 우리가 정말 사라졌는지 교무실에 가서 확인해 봐요."

"삐—."

그리고 다 같이 교무실로 가 벌컥 문을 열고 큰 소리로 외쳤다.

"""사이좋은 삼인조, 등장!"""

평소라면 이 시점에서 에밀리아를 비롯한 선생님들로부터 강렬한 설교가 날아들 터였다.

그러나 아무도 로라 일행을 보려고 하지조차 않았다.

무시하는 것이 아니라 정말로 알아채지 못했다.

"응? 문이 열려 있네. 누가 문을 안 닫은 거야……."

에밀리아는 중얼거리면서 의자에서 일어나 문을 닫으러 왔다.

그때 로라와 부딪쳤다.

무방비 상태였던 로라는 「이크크」 하고 휘청거렸다.

에밀리아도 갑작스러운 충격에 놀랐는지 주위에 뭔가가 있나 하고 두리번거렸다.

“별일이네…… 뭔가에 부딪친 것 같았는데.”

에밀리아는 눈앞에 있는 로라 일행을 눈치채지 못하고 문을 닫고 다시 자리로 돌아갔다.

그 모습을 본 샬롯이 환호성을 질렀다.

“대성공이에요! 부딪쳐도 눈치채지 못했어요!”

“이상한 감각이야. 마치 유령이 된 것 같아. 유령이 되어본 적이 없어서 잘은 모르지만.”

“강력한 만큼 나쁘게 이용하려고 하면 무슨 짓이든 할 수 있어요……. 잘 생각하고 써야겠어요!”

“그래요. 교칙 위반을 숨기는 용도로만 써야 해요. 절대로 나쁘게 써서는 안 돼요.”

“교칙 위반을 숨기는 것도 충분히 나쁘게 쓰는 것 같지만…… 취지에는 공감해.”

“그럼 일단 해제할게요.”

“아, 잠깐만.”

안나가 어째선지 마법을 푸는 것을 말렸다.

그러나 타이밍이 늦어서 로라는 마법을 풀고 말았다.

그 순간, 교무실에 있던 선생님들의 시선이 일제히 로라 일행에게 향했다.

“이 녀석들이 언제 들어온 거야? 제대로 노크하고 이름을 밝히고 나서 들어와야지! 정말!”

“꺄앗. 죄송합니다!”

에밀리아에게 야단을 맞고 황급히 교무실을 빠져나왔다.

“그래서 말린 건데…….”

“로라. 너무 바보 같아요. 무슨 생각을 하는 거냐고 지적하지 않을 수 없어요.”

“힝…… 아무 생각도 하지 않았어요…….”

“삐—.”

모두의 비난에 로라는 인식 저해 마법의 어려움을 실감했다.

뭐, 지금 한 실수는 스스로도 너무 바보 같았다고 생각하지만 갑자기 나타나거나 사라질 수 있는 것이다.

신중히 쓰지 않으면 어떤 말썽을 일으킬지 알 수 없다.

마법검 테스트에 걸맞은 몬스터와 싸울 때까지 봉인해두기로 하자.

※

인식 저해 마법은 때가 될 때까지 봉인한다.

그렇게 속으로 맹세한 다음 날, 빨리도 그 때가 찾아왔다.

"들었어요? 로라. 왕도에서 조금 떨어진 숲에 히드라가 나타났대요."

"네. 모두들 말하고 있어요. 안나의 마법검을 시험하기에는 최고의 상대가 아닐까요?"

히드라는 머리가 여러 개 달린 뱀 몬스터다.

원래는 B랭크 지정이지만, 가끔씩 대형 개체가 나타나 베헤모스나 리바이어던과 같은 급인 A마이너스로 지정되는 경우도 있다.

이번에 나타난 것은 그 A마이너스였다.

이런 강력한 몬스터가 나타나면 눈 깜짝 할 사이에 모험가들 사이에 소문이 났다.

잡으면 이름을 날릴 수 있어서 실력에 자신이 있는 사람은 적극적으로 도전했다.

반대로 자신이 없는 사람은 위험을 피하기 위해서 정보를 모았다.

그리고 길드레아 모험가 학교도 미래의 모험가들이 모인 학교인 만큼 그런 소문에는 민감했다.

기분만이라도 전문 모험가가 될 수 있는 것이다.

그렇지만 학생은 전문 모험가가 아니다.

본디 소문이라는 것은 신빙성이 의심되는 것이지만, 학교 안에서만 확인한 소문이라면 이야기의 절반 정도밖에 믿을 것이 못

된다.

그러나 수업 중에 에밀리아의 입에서 히드라 이야기가 나옴으로써 단숨에 신빙성이 높아졌다.

"아 참. 숲에 대형 히드라가 나타났다는 소문, 너희도 다 들었지? 길드에서도 통지가 왔고, 아무래도 사실인 모양이야. 위험하니까 숲에는 접근하지 않도록. 아니, 히드라가 잡힐 때까지 왕도에서 나가지 않도록 해."

그렇게 말한 에밀리아는 로라와 샬롯을 지그시 쳐다봤다.

"어, 어째서 저희를 보세요……? 반 전체에 말씀하시는 거잖아요?!"

"맞아요. 마치 저희한테 알려두면 그걸로 해결이라는 얼굴을 하고 계세요!"

"그거야, 대형 히드라가 나왔다는 걸 듣고 실제로 현장까지 가려고 하는 건 너희 정도니까."

에밀리아는 싸늘한 목소리로 말했다.

"말도 안 되는 트집이에요! 이 학교 학생은 모두가 미래의 모험가. 즉 호기심 왕성한 사람들이에요! 대형 히드라를 한 번 보고 싶어 하는 건 당연해요! 그렇죠? 여러분!!"

로라는 모두에게 동의를 구하려 했다.

그러나 반 학생들은 고개를 휙휙 저었다.

"어, 어……?"

"호기심이 있다고 해서 실제로 보러 가는 건 너희들뿐이야. 잘못하면 죽으니까."

에밀리아가 말하자 반 학생들은 고개를 끄덕였다.

"보고 싶은 건 맞지만…… 직접 가고 싶지는 않아."

"A마이너스는 드래곤보다 살짝 약한 것뿐이잖아. 부탁받아도 싫어."

"이미 교칙이 어떻고의 문제가 아니야."

"전문 모험가라도 웬만큼 우수한 파티가 아니면 접근하지 않을 거야."

그런 목소리가 들려왔다.

로라는 문화 충격으로 정신이 혼미해졌다.

자기는 어떻게 들키지 않고 교칙을 어길까를 생각하고 있는데 모두는 교칙이 없어도 가지 않는다고 말하는 것이다.

그러나 생각해보니 그런 반응인 것도 당연했다.

평범한 학생들이 볼 때 대형 히드라는 결코 이길 수 없는 상대였다. 로라에게 대현자 같은 존재다.

그런 존재가 날뛰는 곳에 자진해서 가는 사람이 있다면 그저 무모한 사람일 뿐이다. 그것을 용기라고 말할 수는 없다.

"괜찮아요, 에밀리아 선생님. 저희도 얌전히 지내고 있어요. 야단맞는 건 싫으니까요."

“정말이야? 안나의 마법검을 테스트하기에 딱 좋다고 생각하는 거 아냐?”

““소름.””

“……지금, 소름이라고 했지?”

“노, 농담이에요!”

“맞아요. 살짝 장난친 거예요. 핵심을 찔려서 새어 나온 말이 아니에요!”

“흠…….”

에밀리아의 눈빛은 굉장한 의심으로 가득 차 있었다.

조금도 믿지 않는 얼굴이었다.

조금은 믿어줘도 좋을 텐데, 하고 하소연하고 싶었지만 실제로 대형 히드라로 검을 테스트할 예정이므로 에밀리아의 의심은 100프로 옳은 것이었다.

학생이 무슨 생각을 하는지 잘 알고 있는 훌륭한 선생님이다.

그런 학생을 생각하는 에밀리아를 속이는 것은 마음이 아프지만…… 모르는 게 약이라는 말도 있다.

서로를 위해서 속이는 수밖에 없었다.

“너희 셋이 왕도를 빠져나가는지 안 나가는지 선생님들이 감시할 거야. 혹시라도 빠져나가면…….”

“서, 설마 엉덩이 맴매형인가요……?”

“로라는 사흘 동안 오믈렛 금지형! 샬롯도 마찬가지로 사흘간 로라를 안고 자지 못하는 형! 안나는 뭘 금지하면 좋으려나…… 후후후.”

에밀리아는 심술궂은 미소를 지었다.

“저희를 죽일 작정이세요?!”

“이건 학생 학대예요!”

“……호들갑 떨지 마. 어쨌든 왕도를 벗어나지 않으면 되는 거야. 알겠어?”

““네에.””

고분고분 대답했지만 에밀리아의 얼굴에서 의심의 빛은 사라지지 않았다.

분명, 정말로 선생님들 전원이 감시할 생각이리라.

반대로 말하면 그 감시망에 걸리지 않으면 왕도 안에서 얌전히 있었다는 증거가 된다.

물론, 실제로는 증거라고는 할 수 없다. 감시망을 뚫고 탈출했을 가능성도 있으므로.

그러나 감시망을 뚫리게 되면 그것은 교사들의 패배다.

군소리는 하지 않을 것이 틀림없다.

다시 말해, 이것은 로라 일행과 교사들의 승부다.

정정당당하게 겨뤄요, 라고 하고 싶지만, 로라에게는 인식 저해 마법이라는 비장의 무기가 있었다.

—후후후, 에밀리아 선생님한테는 죄송하지만 시작 전부터 승부는 정해졌어요!

※

그리고 방과 후.

세 사람은 다시 로라와 샬롯 방에 모여 작전 회의를 시작했다.

"선생님들의 눈이 어디에 있을지 몰라요. 이 방에서 인식 저해 마법을 걸어서 현지로 가, 히드라를 쓰러뜨리고 돌아온다…… 이 사이에 인식 저해 마법을 계속 걸어두는 거예요. 들킬 확률을 제로로 만들게요!"

"확실히 그 방법이라면 절대로 들키지 않겠어요. 반칙에 가까운 은밀함이에요."

"그래도 아직 익숙하지 않은 마법을 그렇게 연속으로 써도 괜찮아? 도중에 풀리기라도 하면 대형 사고야."

안나가 걱정스레 중얼거렸다.

확실히 인식 저해 마법은 어제 막 터득한 것이었다.

장시간 사용한 경험은 아직 없었다.

만약 로라의 마력으로도 단시간밖에 지속하지 못할 경우에는 숲 속에서 원래대로 돌아가고 만다.

분명 그 부근에 교사의 눈이 있을 터다.

이 학교의 교사는 예외 없이 우수한 모험가들이다.

인식 저해를 해제하면 반드시 들킨다고 생각하는 편이 좋다.

"……하지만, 대형 히드라가 계속 있을 거라는 보장은 없어요. 누군가가 잡을 가능성도 있어요. 케라우노스와 아네모이를 시험하기에 걸맞은 몬스터가 다음에 또 언제 나타날지 몰라요……. 이건 가야 해요! 모험을 해야 해요!"

"어떤 의미로는 지금까지 중에 가장 큰 모험이에요. 하지만 위험을 두려워해서는 성장할 수 없어요!"

"……알았어. 나도 빨리 케라우노스와 아네모이로 실전을 경험하고 싶어. 가자, 지금."

"안나. 그 어느 때보다 적극적이에요! 하쿠도 동의하는 거예요?"

"삐이."

침대 위에 앉아 있던 하쿠가 힘차게 끄덕였다.

다만 하쿠는 교사들한테 들켜도 혼이 나지는 않으리라.

하지만 일단 하쿠도 파티의 일원이다. 뜻을 확인할 필요가 있었다.

게다가 신수의 동의가 있으면 재수가 좋다.

그리하여 로라는 머리 위에 하쿠를 태운 다음 샬롯, 안나와 손을 맞잡았다.

"세계여. 삼라만상이여. 내 마력을 삼키고, 내 존재를 지워라. 모든 눈과 귀와 코를 속이고, 육감조차 현혹시켜라. 환영을 넘어 허무가 되어라."

주문을 외어, 인식 저해 마법을 발동했다.

"여전히 사라졌는지 그대로인지 스스로는 알 수 없어요."

"학교 밖에 나가기 전에 미사키한테 실험해 봐요.,"

로라 일행은 학교 식당으로 가 저녁 준비를 하고 있던 미사키의 뒤로 슬쩍 이동했다.

그리고 꼬리를 쓰담쓰담 쓰다듬었다.

"느아앗! 누가 꼬리를 만졌습니다! ……하지만 아무도 없습니다?"

미사키는 꼬리를 손으로 누르면서 주위를 두리번거리며 의아해했다.

"왜 그래, 미사키."

"지금, 누가 제 꼬리를 만졌습니다……. 그런데 돌아봐도 아무도 없었습니다…… 무섭습니다!"

"그거 희한하네. 그러고 보니, 알고 있어? 이 학교에는 7대 불가사의가 있는데, 학교 식당에는 복슬복슬 괴물이……."

"느아아. 무서운 이야기는 하지 마십시오!"

식당 아줌마가 미사키에게 괴담을 들려주기 시작했다.

로라도 괴담은 싫지만 복슬복슬 괴물이라는 것은 명백히 아줌마가 지금 생각해낸 괴물이기에 딱히 무섭지 않았다.

가기 전에 다시 한 번 슬쩍 미사키를 만진 다음 로라 일행은 학교 밖으로 달려갔다.

거리에는 긴장된 분위기가 감돌고 있었다.

다만 긴장한 것은 주민들이 아니다. 왕도는 평소와 다름없이 평화로웠다.

다만, 그 안에서 무림의 고수들이 경계하고 있는 낌새가 느껴졌다.

물론, 그것은 길드레아 모험가 학교의 교사들이리라.

모습만은 보이지 않지만 로라 일행을 찾고 있는 것이다.

그러나 헛수고다. 로라 일행은 길 한복판을 당당히 나아갔다.

그리고 성문으로 왕도를 빠져나가 가도를 벗어나 대형 히드가라 있다는 숲으로 향했다.

숲 입구부터는 왕도보다 더한 긴장감이 전해져왔다.

그 낌새를 쫓아가자, 나무 위에 에밀리아가 숨어 있었다.

상당히 진지하게 낌새를 찾고 있는 듯했다.

분명 주변 일대에서 느껴지는 마력의 흐름을 계속 탐지해 로라 일행의 마력이 조금이라도 감지되면 바로 움직일 생각이리라.

"에밀리아 선생님!"

로라는 그렇게 외치며 손을 흔들어봤다.

그러나 에밀리아는 알아채지 못했다.

"저 진지한 얼굴…… 어쩐지 에밀리아 선생님한테 잘못하는 기분이 들어요……."

"죄책감이 느껴져. 하지만 들키지 않으면 서로 문제없어."

"그, 그래요. 안 들키면 돼요. 대형 히드라를 잡으면 이 주변의 안전을 지킬 수 있고, 안나는 검을 테스트할 수 있어서 만족이에요. 우리가 했다는 증거가 없으니 선생님들은 아무 말도 못 할 거고, 에밀리아 선생님의 위에 구멍이 날 일도 없고 우리가 야단맞을 일도 없어요. 원만히 수습될 거예요. 괜찮아요!"

그런 말을 하면서도, 교칙 위반을 저지르고 있는 것은 분명했기에 로라 일행은 걸음을 서두르기로 했다.

경쾌하게 나무들 사이를 누비며 달렸다.

도중에 고블린 떼와 마주쳤지만 고블린 떼는 전혀 눈치채지 못했다.

인식 저해는 인간이 아닌 다른 개체에도 통한다는 증거다.

그리고 무사히 대형 히드라가 있다는 장소에 도착했다.

"히드라는 어디에 있을까요?"

"아무리 크다고 해도 땅에 엎드려서 자고 있으면 몰라요."

"누군가가 싸우고 있으면 금방 알 텐데……."

“그러고 보니, 이런 순간에는 항상 『진홍의 방패』라는 파티가 있었어요. 오늘도 히드라와 싸우고 있지 않을까요?”

“설마요. 그런 우연이 계속될 리가 없어요.”

“하지만 진홍의 방패는 왕도에서는 최상급 파티야. 그리고 대형 히드라는 보통 수준의 모험가는 상대할 수 없어. 그러니까 진홍의 방패가 와 있을 확률은 높아.”

로라 일행이 대형 히드라를 찾아 두리번거리며 걷고 있자니, 조금 떨어진 곳에서 지이이잉 하는 땅울림이 들려왔다.

그리고 마력 반응이 몇 개인가 느껴졌다.

“……으음. 이 마력 유형은…… 진홍의 방패예요.”

“놀라워요……. 설마 진짜 있었다니…….”

“평소의 패턴이라면 큰 위기에 처해 있을 거야. 빨리 도와줘야 해.”

“삐!”

인명 구조를 위해 로라 일행은 서둘러 뛰어갔다.

예상대로, 진홍의 방패는 무너지기 직전이었다.

히드라는 입에서 광선을 뿜어 진홍의 방패를 공격하고 있었다.

마법사가 방어 결계를 치고, 검사와 창술사가 빈틈을 공격하는 전술인 것 같지만, 히드라의 광선이 너무 거세서 방어하기에 바빴다.

“젠장. 전에 싸웠던 히드라는 머리가 세 개였는데 이 녀석은 다섯 개나 달렸어!”

"결계가 깨진다! 도망쳐!"

"틀렸어. 이미 늦었어……!"

방어 결계가 뚫리기 직전이었기에 로라는 그 결계에 자신의 마력을 흘려 넣어 보강해줬다.

"뭐, 뭐지……?! 갑자기 결계가 두꺼워졌어!"

진홍의 방패의 마법사가 놀라서 눈을 희번덕거렸다.

"그렇군! 죽음이 눈앞에 닥쳐서 각성한 거야! 이게 내 진짜 힘이다!"

그리고 그는 유리한 결론에 도달했다.

로라는 마법사에게 다가가 그 귓가에 대고 슬쩍 속삭였다.

"크크크. 힘이 필요해? 그렇다면 주마……."

"로라. 뭐 하는 거예요?"

"흑막 놀이예요!"

"사랑스러운 흑막이에요오."

샬롯이 흐뭇한 미소를 지었다.

한편, 대형 히드라는 자신의 공격이 통하지 않게 된 것에 짜증이 났는지 광선의 위력을 한층 높였다.

방어 결계의 표면에서 연속 폭발이 일어났다.

그 격렬한 빛과 소음에 진홍의 방패는 비명을 질렀다.

"안나. 이 사람들은 제가 지킬 테니까 얼른 검을 시험해 보세요."

"알았어. 이렇게 큰 만큼 베는 맛이 있겠어. 두근거려."

안나는 벼락의 마법검(케라우노스)과 바람의 마법검(아네모이)을 뽑고, 대형 히드라를 향해 외쳤다.

"자, 상대는 나야. 진홍의 방패보다 내가 더 세."

그러나 대형 히드라는 안나에게 눈길도 주지 않고 오직 진홍의 방패를 향해 광선을 뿜었다.

그리고 광선으로는 방어 결계를 뚫을 수 없다는 것을 깨닫고, 다섯 개의 머리로 박치기를 반복했다.

"……무시당했어."

"생각해 보니, 인식 저해 마법이 걸려 있으니 눈치채지 못하는 건 당연해요."

"음…… 눈치채지 못하면 싸울 수가 없잖아요. 시시해요. 이 마법은 못쓰겠어요."

"아무리 테스트라지만 일방적으로 베서 죽이는 건 내키지 않아……. 돌아갈까."

"마음은 이해하지만 이대로 돌아가면 진홍의 방패가 죽고 말 거예요. 베어주세요!"

"실전을 기대했는데……."

안나는 크게 한숨을 내쉬었다.

그리고 바람을 휘감고, 대형 히드라의 머리 위로 날아올랐다.

스치면서 케라우노스를 번쩍 휘둘렀다.

전기와 참격의 동시 공격으로 대형 히드라의 머리 하나를 두 동강 냈다.

“캬오오오오오옹?!”

대형 히드라의 입장에서는 머리가 갑자기 잘려 나간 셈이다.

도무지 영문을 알 수 없으리라.

진홍의 방패도 눈을 동그랗게 뜨고 잘려 나간 단면을 바라봤다.

“누, 누가 한 거야?”

“번개가 번쩍 하나 싶더니 갑자기 목 하나가 떨어졌어!”

“우리 중에 그런 걸 할 수 있는 녀석은 없어…… 그래! 언제나 우릴 도와주는 그 애들이야!”

“모습은 보이지 않지만 또 구하러 와줬구나. 고맙다! 파자마레인저!”

진홍의 방패는 파자마레인저에게 고마움을 전했다.

“어라…… 모습을 보이지 않았는데 들켜버렸어요. 어떻게 된 걸까요?!”

“평소의 행실 때문이에요……. 원래는 좋은 일이지만, 우리의 경우는 교칙을 위반한 걸 들키는 거니까 큰일이에요!”

“하, 하지만 모습을 드러내지 않았으니 얼마든지 발뺌할 수 있어요. 안나, 빨리 숨통을 끊으세요!”

"알았어."

안나는 두 자루의 마법검으로 대형 히드라의 나머지 목을 단번에 잘랐다.

그럼에도 불구하고 몸통만 움찔거리기에, 안나는 그 몸통에 케라우노스를 꽂고 내부에서 전기를 흘려 넣어 불태웠다.

대형 히드라는 비로소 숨을 거두었다.

"……전혀 싸운 것 같지 않아. 로라나 샬롯하고 싸웠던 게 훨씬 나아."

안나는 죽은 히드라 위에 올라서서, 쓸쓸히 중얼거렸다.

"심정은 이해하지만 아쉬움은 나중으로 미뤄요. 지금은 빨리 이곳을 벗어나야 해요."

"시치미 뗀 얼굴로 기숙사에 있으면 알리바이는 완벽해요!"

"응…… 오늘은 진홍의 방패를 구했으니 그걸로 됐다 치자."

안나는 스스로에게 납득을 구하듯이 그렇게 말하고는 터벅터벅 걷기 시작했다.

그때 진홍의 방패 멤버가 엉뚱한 방향을 향해 「고마워. 파자마 레인저!」 하고 외쳤다.

로라는 떠나기 전에 「아니에요~. 우리는 상관없어요~.」 하고 말했다.

물론 들릴 리는 없겠지만.

※

로라 일행은 왕도로 돌아왔다.

여기까지 왔으면 교사들에게 들켜도 문제없었다. 그냥 산책하고 있었을 뿐이라고 우기면 그만이다.

“기대했던 실전이 물 건너가서 허무해. 이렇게 된 이상, 모험가 라멘에 마늘을 듬뿍 추가해서 마구 먹는 수밖에 없어.”

“어머, 안나. 그런 짓을 했다간 내일도 온몸에서 마늘 냄새가 날 거예요. 그래도 괜찮아요?”

“괜찮아.”

“아하하. 또 다른 방법을 생각해 봐요. 기운 내세요, 안나.”

“삐—.”

하쿠는 울적해하는 안나의 머리로 날아가 앞발로 머리카락을 통통 만졌다.

“하쿠가 위로해줬어. 조금 기운이 났어.”

“역시 하쿠예요! 모두에게 기운을 나눠주는 존재예요!”

“삐!”

그런 대화를 나누는 사이에 로라 일행은 란정 앞에 도착했다.

“인식 저해, 해제!”

가게 앞에서 마법을 풀고, 포렴을 지나 안으로 들어갔다.

란과 니나 모두 한가하게 쉬고 있었다.

"예이! 란 씨, 니나. 모험가 라멘 세 그릇 주문이요! 하쿠용으로 작은 덮밥도 주세요!"

따분해 보이는 그녀들에게 기운을 주기 위해 로라는 필요 이상으로 요란하게 주문을 넣었다.

그러나 무시당했다.

"……어라? 저, 실패한 거예요?"

"훌륭히 겉돌았어요. 두 사람 다 정색하고 있어요."

"다시 주문할게. 모험가 라멘 세 개. 내 건 마늘을 추가해줘. 작은 덮밥도 잊지 말고 줘."

이번에는 안나가 평범하게 주문했다.

그러나 그래도 두 점원은 반응을 보이지 않았다.

"……응?"

안나는 어리둥절해하며 란과 니나의 눈앞에서 손을 휙휙 흔들었다.

그녀들의 눈동자는 손의 움직임을 전혀 쫓지 않았다.

의도적으로 무시하는 것이 아니다.

보이지 않는 것이다.

"로라. 인식 저해 마법이 아직 안 풀렸어."

“이상하네요…… 해제! 해제!”

다시 해제한 다음, 란과 니나의 귓가에 「왁!」 하고 크게 외쳐봤다.

그러나 두 사람 다 반응이 없었다.

“어, 어떻게 된 거예요? 두 사람이 놀리는 거예요? 아니면…… 정말 마법을 못 푸는 거예요?!”

“저는 분명히 해제했어요…… 이얍, 두 사람 다 눈치채주세요!”

로라는 란의 갈라진 치마 사이로 손을 집어넣어 허벅지를 쓰다듬었다.

“꺄! 니나, 이상한 데 만지지 마라해!”

“네? 저는 아무 짓도 안 했는데요…….”

의아한 표정을 짓는 니나의 치마 사이로 손을 넣었다.

“까핫! 누가 만졌어! 근데…… 아무도 없어? 응? 어떻게 된 거지……?”

“투명 인간이다해! 무섭다해애!”

두 사람은 새파랗게 질려서 주방으로 뛰어갔다.

잠시 후, 니니가 프라이팬을 꽉 쥐고 용감한 얼굴로 돌아왔다.

“란 씨는 내가 지켜! 나와, 투명 인간! 내가 상대해줄게…… 에잇! 에잇!”

니나는 프라이팬을 아무렇게나 휘두르며 보이지 않는 적과 싸우려 했다.

그것이 우연히 샬롯의 머리에 꽝 하고 맞았다.

"아파요!"

"때린 느낌이 있어……! 여기야! 이얍!"

니나는 샬롯을 꽝꽝 하고 마구 때렸다.

샬롯은 엉엉 울면서 가게 밖으로 도망쳤다.

"우아아아앙. 니나가 괴롭혀요오오오오!"

"아, 샬롯. 기다려요—."

"니나가 공격하기 시작했어. 이 가게는 위험해."

"삐—."

란정을 뛰쳐나온 로라 일행은 가까운 광장 벤치에 앉아 한숨을 돌렸다.

"흑…… 아파요. 혹이 생겼어요."

"그래도 저녁 시간의 니나라서 다행이에요. 밤이었으면 샬롯의 머리는 완전히 납작해졌을 거예요."

로라는 샬롯에게 회복 마법을 걸면서 말했다.

란정의 직원인 니나는 어려 보이는 외모와는 반대로 그 정체가 흡혈귀였다.

그래서 밤이 되면 무시무시한 힘을 발휘했다. 그 전투력은 조금 전에 만난 대형 히드라보다 높을지도 모른다.

그러나 다행히도 지금은 생김새대로 아이의 힘밖에 없었다.

프라이팬으로 힘껏 때려도 샬롯의 머리에 혹이 생길 뿐이다.

"아무튼 로라. 어떻게 된 거야? 분명히 인식 저해 마법을 푼 거지?"

"해제에, 실패한 것 같아요……. 장시간 걸었던 탓일까요? 생각처럼 되지 않아요……."

"큰일이에요! 그럼 우린 평생 누구에게도 인식되지 못한 채로 살아가는 수밖에 없어요!"

"걱정하지 마세요, 샬롯. 한두 번 실패한 걸로 당황할 필요 없어요. 우선 학교로 가면서 시도해 봐요."

"그래요! 성공할 때까지 계속 하면 되는 거네요!"

"네. 하지만 푸는 게 이렇게 어려울 줄은 몰랐어요. 역시 가볍게 쓰면 안 되는 마법 같아요."

"검을 테스트하려면 선생님한테 혼날 각오로 해야 한다는 거야?"

"그런 거죠……."

로라는 에밀리아의 화난 얼굴을 상상하고 우울해졌다.

야단맞는 것은 싫고, 무엇보다 에밀리아의 위에 구멍을 내는 짓은 하고 싶지 않았다.

어떻게든 교칙을 위반하지 않고 검을 테스트할 방법은 없는 걸까.

"어찌됐든 일단은 원래대로 돌아가야 해요……. 해제! 해제!"

학교를 향해 걸으면서 로라는 몇 번이고 해제를 시도했다.

도무지 될 생각을 하지 않아서 중간부터는 포즈를 취해보기도

했다.

하지만 그것도 소용없었다.

"……학교에 다 왔어요."

"로라, 백 번 정도 해제를 외친 것 같은데…… 앞으로 몇 백 번 더 외치면 풀릴 것 같아?"

"그게 말이죠…… 전혀 모르겠어요……."

교문 앞에서 중얼거리면서, 로라는 식은땀을 흘렸다.

조금 전까지는 조만간 어떻게든 해결되겠지 하고 낙관적으로 생각했지만 아무래도 계속 도전하면 해결되는 종류의 문제가 아닌 모양이다.

"모르다니. 말도 안 돼요, 로라! 이대로면 우리가 기숙사로 돌아가도 계속 외출한 것이 되고 말아요. 다시 말해, 대형 히드라를 쓰러뜨린 건 우리라고 선언하는 꼴이에요!"

"그, 그렇게 말해도……."

"이렇게 된 이상, 자력으로 풀겠어요!"

샬롯은 눈에 핏줄을 세우고는 기묘한 춤사위를 벌이면서 『해제!』 하고 외쳤다.

물론 변화는 없었다.

"어쩌면 이미 진즉에 원래대로 돌아온 거 아냐? 자기는 모르는 거니까."

"음…… 그런 거라면 해제, 해제를 외치는 저를 이상한 눈으로 볼 거예요……. 마주친 사람들은 힐끔거리지조차 않았어요. 아, 보세요. 방금 지나간 고양이도 샬롯을 무시하고 있어요. 저런 요상한 춤을 추고 있으니 보통은 위협하거나 무서워서 도망칠 거예요."

"흠…… 틀린 말은 아니야."

진상을 확인하기 위해서 세 사람과 한 마리는 학교 식당으로 향했다.

아까 란정에서 라멘을 먹지 못하는 바람에 배가 고팠다.

저녁을 주문해서 제대로 음식이 나오면 성공이었다. 무시당하면 인식 저해 마법은 아직 풀리지 않은 것이다.

그리고, 진상은 주문하기 전에 밝혀졌다.

줄을 서 있었더니 다른 학생이 계속 끼어들었던 것이다.

새치기를 막기 위해서 앞에 서 있는 학생에게 꼭 붙어 있었더니, 옆에서 냅다 들이받혔다.

들이받힌 로라 일행은 엉덩방아를 찧으면서 항의했다. 그러나 상대는 의아하다는 얼굴로 「지금 뭔가에 부딪친 것 같은데?」 하고 중얼거릴 뿐이었다.

"이건…… 역시 풀리지 않았어요!"

"다시 말해서, 저녁을 먹을 수 없는 거야……?"

"배고파서 죽을 것 같아요! 미사키, 미사키!"

샬롯은 카운터로 달려가 줄 옆에 서서 외쳤다.

그러나 미사키는 눈길도 주지 않고 일에 몰두할 뿐이었다.

친구인데. 바로 눈앞에 있는데. 목소리가 닿지 않았다. 존재조차 눈치채주지 않았다.

밥을 먹을 수 없다는 사실보다 훨씬 심한 공포를 느끼고 로라는 새삼 두려워졌다.

※

결국 저녁을 먹지 못한 로라 일행은 말없이 여자 기숙사로 돌아와 대중탕에 들어갔다.

여기서도 아무도 알아봐주지 않았다. 욕조 안에서 몇 번이나 발을 밟히고 걷어차였다.

슬퍼져서 서둘러 목욕을 마치기로 했다.

인형탈 잠옷으로 갈아입고 로라와 샬롯의 방으로 가 세 사람과 한 마리끼리 멍하니 허공을 바라봤다.

"삐이……."

로라의 머리 위에서 하쿠가 구슬픈 목소리로 울었다. 그와 동시에 배도 꼬르륵 하고 울었다.

"배고파요……."

"네……."

"마늘을 듬뿍 넣은 모험가 라멘이 먹고 싶었어……."

"그것 이상으로, 모두에게 무시당하는 게 이렇게 괴로운 일인 줄은 몰랐어요……."

"네……."

"어쩌면, 정말 평생 이대로 가는 건가……?"

안나의 한마디에 모두가 입을 다물었다.

코를 훌쩍이는 소리가 들렸다.

로라는 그것이 자기 코에서 나는 소리라고 생각했지만 샬롯도 똑같이 울고 있었다.

"미안해요…… 제가 어중간한 마법을 쓰는 바람에……."

"로라 책임이 아니에요……. 인식 저해 마법을 쓰기로 한 건 다 같이 정한 거니까요……."

"근본적으로는 내 마법검을 시험하기 위해서였어. 내 탓이야."

"스스로를 비난해도 소용없어요……. 오늘은 그만 자요……. 의외로 자고 일어나면 원래대로 돌아와 있을지도 몰라요……."

샬롯이 말한 순간, 모두의 배가 꼬르륵 하고 울었다.

배가 고파서 아무것도 하고 싶지 않았다.

확실히 자는 수밖에 없을 것 같았다.

다 같이 침대에 누워 몸을 꼭 붙였다.

안나의 방은 여기가 아니지만 누구도 그것에 대해서 언급하지 않았다.

하쿠도 이불 안으로 들어와 로라의 뺨에 얼굴을 붙이고 눈을 감았다.

이 세 사람과 한 마리만이 존재하는 세계다.

로라 일행은 모두의 모습을 볼 수도, 목소리를 들을 수도 있었다. 그러나 자신들의 모습을 보여줄 수도, 목소리를 전할 수도 없었다.

완벽한 일방통행이다. 소통 불가다. 침대 위에 있는 동료만이 서로를 알아보고 소통할 수 있었다.

떨어지는 일 따위는 생각할 수도 없었다.

※

일어나 교복으로 갈아입고 교실로 향했다.

평소에는 복도에서 마주친 사람들이 「안녕」 하고 인사해주지만 오늘은 누구도 인사해주지 않았다.

안나도 같이 마법학과 교실로 들어갔다.

전사학과에 가면 혼자가 되어버리므로 당연했다.

로라와 샬롯은 자기 의자가 있지만 안나는 앉을 곳이 없었다.

그래서 로라는 허벅지를 탁탁 쳐서 자기 허벅지에 안나를 앉혔다.

하쿠는 그런 안나의 무릎 위에 앉았다.

종이 울림과 동시에 에밀리아가 들어왔다.

수업이 시작됐는데도 다른 반 학생이 교실에 있었다. 평소라면 설교가 시작될 타이밍이다.

그러나 에밀리아는 안나에게 눈길조차 주지 않았다.

그뿐만 아니라,

이해할 수 없는 말을 하는 것이 아닌가.

"어? 다 있는 거지? 왜 책상 두 개가 남지……?"

로라는 심장을 덥석 움켜잡힌 것 같은 기분이 들었다.

순간 무슨 말을 들었는지 이해할 수 없었다. 이해하는 것을 뇌가 거부했다.

모두 있다. 에밀리아는 그렇게 말했다.

그리고 책상이 남는다고.

그녀에게는 로라도 샬롯도 안나도 하쿠도 보이지 않는다.

그런데, 모두 있다.

이상하다. 이치에 맞지 않았다.

이래서는 마치 처음부터 이 세계에 로라 일행이 없었던 것 같지 않은가.

"있어요! 우리는, 여기, 있어요!"

"맞아요! 책상은 남지 않았어요…… 인원수만큼 있어요!"

"오리려 내가 있으니까 부족할 정도야."

"삐, 삐이!"

자리에서 일어나 칠판까지 뛰어갔다.

그리고 분필을 쥐고 다 같이 큼직하게 글을 썼다.

—우리는 여기에 있어!

온 마음을 담은 문장이었다.

잊지 말아줘. 보이지 않아도 좋으니까, 목소리가 들리지 않아도 좋으니까, 적어도 잊지는 말아줘.

"분필이 멋대로 움직여서 글을 썼어!"

"뭐, 뭐야? 유령이야?!"

하지만 그 문장에 대한 반의 반응은 유령소동뿐이었다.

로라 일행일지도 모른다는 목소리는 조금도 들리지 않았다.

"누가 이런 장난을 친 거야. 비행 마법을 원격 조종한 건가……? 이런 고도의 마법을 익힌 건 훌륭하지만 장난으로 쓰면 칭찬해줄 수 없어. 그런데…… 진짜 누구야? 1학년이 이런 걸 할 수 있을 리가……."

에밀리아는 정말로 모르겠다는 얼굴로 칠판에 적힌 글자를 바라봤다.

“무, 무슨 말씀을 하시는 거예요, 에밀리아 선생님! 분필 원격 조종쯤은 할 수 있어요! 저하고 샬롯, 두 명이나 있잖아요! 자기 제자를 잊어버리신 거예요?!”

로라의 외침은 에밀리아에게 닿지 않았다.

적어도 잊어버렸다고 말해주면 좋을 텐데.

혹은 기억하고 있지만 들리지 않는 거라면 좋을 텐데.

어느 쪽도 아니었다.

로라도 샬롯도 안나도 하쿠도, 이곳에는 존재하지 않았다.

“우아아아아아앙!”

로라는 참지 못하고 울부짖으며 복도로 뛰쳐나갔다.

뒤에서 샬롯과 안나의 목소리가 들려왔지만 멈춰 설 여유는 없었다.

하쿠를 데리고 나오는 것도 잊고 말았다.

정신없이 교정을 향해 달렸다. 그리고 광장의 풀밭에서 무언가에 걸려 넘어졌다.

“아야…….”

이것은 로라의 목소리가 아니었다.

로라가 걸려 넘어진 사람의 목소리였다.

풀밭에 엎드려 누워 있던 것은, 은백색 머리카락을 가진 사람이었다.

지금까지 자고 있었던 모양이다.

그러다 로라에게 걷어차여서 깬 것이다.

"방금, 뭔가에 부딪쳤는데…… 없네……. 이 내가 알아차리지 못한다고? 설마……."

이 세계에서 유일하게 로라를 뛰어넘는 마력을 보유한 존재.

아름다운 대현자, 칼로테 길드레아다.

그러나 그런 그녀조차 로라를 인식하지는 못했다.

"학장님! 저예요! 로라예요! 제가 여기 있어요!"

로라는 대현자를 덮치고 그 어깨를 붙잡았다.

그러자 로라의 손에 대현자의 손이 포개졌다.

"여기에 뭔가가, 있어……? 보이지 않을 뿐만 아니라 호흡도 들리지 않는데, 만져진 느낌만은 있어……."

대현자는 눈에 마력을 모았다.

보이지 않는 존재를 보려고 하는 걸까.

그러나 로라는 지금 그녀가 있는 세계와는 어긋난 세계에 있었다.

이쪽에서는 볼 수 있어도 저쪽에서는 볼 수 없었다.

설령 대현자라 할지라도—.

"어머, 로라. 지금은 수업 중이잖아? 이런 데서 무슨 일이야? 게다가 뭔가 반투명하기까지 하고."

"학장님…… 제가…… 보이세요?"

"보여! 그거, 무슨 마법이야?"

"목소리도 들려! 학장님…… 학장니이이이임!"

"어머? 에구구. 무슨 사정인지는 몰라도 일단 진정하렴."

울면서 와락 안기는 로라를, 대현자는 부드럽게 안아줬다.

등을 토닥토닥 두드려줬다.

그 어느 때보다 대현자라는 사람이 듬직하게 느껴졌다.

이 사람이 하지 못할 일은 하나도 없는 게 아닐까.

지나친 과대평가인 줄은 알지만 그만큼 그녀가 위대해 보였다.

※

로라가 대현자에게 매달려 울고 있자니, 그곳에 샬롯 일행도 쫓아왔다.

그런 그녀들을 향해 대현자가 손을 흔들자, 「앗, 보이는 거예요?!」, 「이게 대현자의 위엄이야!」 하고 외치고는 신 나게 뛰어왔다.

"어머나. 다들 반투명하네. 어쩌다 그렇게 됐을까. 로라는 울기만 하고 가르쳐주지를 않아."

"그건…… 말씀드리자면 길어요……. 그것보다 우선…… 저도 안아주세요!"

"나도 안을래. 학장님, 대단해."

"삐이!"

"어머나……? 너희가 안기는 건 대환영이지만…… 어지간히 고생한 모양이네. 옳지, 옳지."

그 후로 세 사람과 한 마리는 만족할 때까지 대현자의 품에 안겨 흐느껴 울었다.

약 5분이 지나고, 비로소 안정을 되찾은 로라 일행은 그간의 일들을 설명했다.

"인식 저해 마법…… 하아…… 정말, 잘도 그런 걸 찾아내서 결국 실행해버렸네. 제아무리 나라도 깜짝 놀랐어."

풀밭 위에 앉아, 대현자는 질린 듯도, 감탄한 듯도 한 반응을 보였다.

그 정면에 앉은 로라는 「그렇게 말씀하셔도……」 하고 모호하게 대꾸하는 수밖에 없었다.

어쨌든 인식 저해 마법이 이렇게 위험한 것인 줄 몰랐기 때문이다.

위험한 것이라면 미리 알려줬으면 했다.

책에도 『원래대로 돌아오지 못할 위험이 있다』라는 말은 없었다. 이 얼마나 불친절한 책인가.

"이미 질리도록 알았겠지만, 인식 저해 마법은 차원 창고보다 섬세한 기술이야. 차원 창고는 완전히 다른 세계를 다루지만, 인식 저해는 살짝 어긋난 세계야. 미묘한 지점에 있어서 가기가 어렵고 단단히 빠져버리면 돌아오지 못하게 돼. 지금 너희들처럼."

"그런 거였군요……. 몰랐어요……."

"저희는 환혹계 마법 대백과라는 책을 읽고 인식 저해 마법을 알게 됐는데…… 그 책에 그런 말은 한마디도 없었어요."

"교육에 아주 안 좋은 책이야. 당장 도서실에서 빼달라고 해야겠어."

"삐!"

다 같이 그 책이 잘못이라고 하소연했다.

그러나 대현자는 씁쓸히 웃었다.

"환혹계 마법 대백과라는 건 그런 종류의 마법을 대략적으로 소개해놓은 것뿐이잖아? 자세한 사용법이 실려 있는 것도 아니고……. 마도서 중에서도 무해한 종류야. 그 책을 읽고 실제로 쓸 수 있게 되는 건 아무리 세상이 넓다 해도 로라뿐이야. 무엇보다 인식 저해 마법은 이론상의 마법인 걸로 알려져 있고."

"흐아아…… 다음부터는 새로운 마법을 사용할 때는 학장님께 상담할게요……."

"응. 그러는 게 좋겠어."

대현자는 깊이 끄덕였다.

"그런 그렇고, 학생님. 그렇게 자세히 아시는 건, 학장님도 인식 저해 마법을 쓰실 수 있는 거예요?"

"뭐, 그렇지. 백 년쯤 전에 익혔어. 쓸 곳이 없는 데다 위험해서 줄곧 봉인해뒀지만."

"위험해? 학장님도 우리처럼 됐었어?"

안나가 물었다.

그러자 대현자는 부끄러운 듯이 손가락으로 뺨을 가볍게 긁었다.

"그랬, 었지. 한 사흘 정도 시도했더니 인식 저해에 성공해서, 아무한테도 들키지 않고 장난칠 수 있겠다 싶어서 거리로 나갔어. 처음엔 여자 목욕탕을 훔쳐보러 갔었는데 곰곰이 생각해보니 난 원래 여자 목욕탕에 들어갈 수 있으니까……."

"당연한 거예요. 곰곰이 생각하지 않아도 아는 사실이에요."

"애초에 나는 어디든 당당히 들어갈 수 있어. 왕궁도 내 별장 같은 느낌이고."

"그건 좀 아닌 것 같은데."

"평소에는 쓰러뜨릴 수 없는 몬스터를 모습을 감추고 몰래 쓰러뜨리는 것도 생각했지만…… 그런 몬스터는 없으니까."

"그러게요……. 학장님도 쓰러뜨리지 못하는 몬스터가 있다면 이 세상은 멸망했을 거예요."

"그래서 유일하게 생각해낸 내 전용 사용법이, 낮잠이야. 낮잠을 자면 혼날 것 같은 장소에서 낮잠 자기! 이것밖에 없었어!"

"삐이……."

"그래서 점찍은 곳이 대성당이야. 그건 왕도에서 가장 큰 건물이잖아. 그 꼭대기에서 자면 기분 좋을까 싶어서. 실제로 기분 좋아서 하루 종일 잤어. 이건 너무 잤다 싶어서 인식 저해를 풀려고 했더니…… 지금 너희처럼 풀 수가 없었어."

"하하아, 그렇군요. 역시 장시간 쓰면 안 되는 마법이네요."

로라는 대현자도 자신들과 같은 상황을 겪었다는 것을 듣고 무척 안심했다.

대현자도 실패했으니 자신이 실패해도 어쩔 수 없는 일이었다. 그리고 전례가 있다면 대처법도 있다는 것이다.

이로써 다시 평화롭게 오믈렛을 먹을 수가 있었다.

"그렇다 해도 낮잠을 너무 오래 자는 바람에 원래대로 돌아오지 못했다니, 우리보다 지독한 이유예요."

"우리는 일단 마법검 테스트라는 훌륭한 이유가 있었어. 학장님은 잠을 잤던 것뿐이고. 목적의식 자체가 완전히 달라."

"듣고 보니 그러네요! 우리는 성장 욕구가 넘치는 학생! 학장님은 낮잠꾸러기! 후후후. 우리가 이겼어요!"

"삐이삐이."

"어머나. 그런 소리 하면 원래대로 안 돌려준다?"

"""죄, 죄송해요!"""

"삐이이."

"후후. 고분고분해서 좋아."

대현자는 미소 지었다.

어쨌든 원래대로 돌아갈 방법이 있다는 것이 분명해졌으므로 휴, 다행이다, 하고 로라 일행은 가슴을 쓸어내렸다.

"그래서 학장님은 백 년 전에 어떻게 원래대로 돌아오셨어요?"

"그건 말이지, 기합이야."

"……기합?"

구체적인 방법이 나오는 줄 알았더니, 더없이 모호한 발언이 튀어나왔다.

"그래. 기합. 인식 저해가 풀릴 때까지, 기합을 넣고 계속 시도했어."

"참고로…… 저는 어제 백 번 넘게 시도했는데…… 학장님은 몇 번 시도하셨어요?"

"몇 번인지는 기억나지 않지만 일주일은 걸렸어."

"일주일?! 그건 곤란해요! 그래서는 수업을 들을 수 없고, 무엇보다 학교 식당에서 주문할 수가 없어요! 오믈렛이 부족해서 죽고 말 거예요!"

"맞아요! 오믈렛은 둘째 치고 일주일이나 이 상태로 있는 건 너무 쓸쓸해요…….”

“존재를 알아차리지 못할 뿐만 아니라 잊혀져버렸어. 그래서 대화도 못 나눠. 너무 쓸쓸해.”

“알아. 나도 일주일 동안 꽤 힘들었어. 그러니까 내가 지금 여기서 풀어줄게. 그 대신, 이제 인식 저해 같은 건 쓰면 안 돼. 원래 나쁜 짓에밖에 못 쓰는 마법이니까.”

“와아…… 역시 학장님! 지금 하실 수 있는 거군요!”

“뭐, 백 년 전에도 겪었으니까.”

“학장님도 참, 그러면서 일주일이라고 겁을 주시고, 나빠요!”

“한시름 놨어. 다행이야.”

“삐이.”

“후후. 미안, 미안. 너희 표정이 휙휙 바뀌는 게 귀여워서 그만. 그럼, 풀게…… 에잇!”

대현자는 기합과 함께 손가락을 빙글 돌렸다.

로라 일행의 몸에 그녀의 마력이 흘러들고, 인식 저해의 마법이 풀렸다.

“뭐지? 여전히 반투명하네…….”

““““응?””””

로라 일행은 눈을 땡그랗게 떴다.

대현자도 긴장한 얼굴로 변했다.

“자, 잠깐만…… 다시 한 번. 읏샤! 아, 돌아왔다! 다행이다…….”

대현자에게도 어려운 작업이었던 모양이다. 그녀는 이마에 땀을 흘리며 진심으로 안도한 듯이 어깨를 축 늘어뜨렸다.

그러나 로라 일행은 원래대로 돌아왔다는 실감이 나지 않았다.

대현자의 눈에는 반투명했던 것이 불투명해졌으니 한눈에 알 수 있으리라. 그러나 로라 일행은 돌아오기 전에도 서로가 평소와 다름없이 보였었다. 원래대로 돌아왔다고 판단할 기준이 없었다.

“정말이에요……?”

“못 믿겠으면 교실로 돌아가 보든지? 지각했다고 야단맞겠지만.”

“야단맞고 싶어요!”

“이 기회에 주먹이 날아와도 좋아.”

“어머나. 응석쟁이들이네. 그럼, 혼나고 오렴.”

“네! 학장님, 감사합니다!”

세 사람과 한 마리는 꾸벅 머리를 숙이고는 마법학과 1학년 교실로 달려갔다.

교실은 아직 수업 중이었다.

두 개의 문 중에 칠판에서 먼 쪽을 열고 몰래 침입했다.

그러자 에밀리아의 날카로운 시선이 날아와 박혔다.

“이 녀석들! 곧 1교시가 끝날 시간이야! 완벽한 지각이야! 그보다, 안나가 왜 이 교실로 와? 전사학과 교실로 가!”

그것은 익숙한 목소리였다.

어쨌든 로라 일행은 일주일에 한 번은 이렇게 에밀리아게 혼이 났다.

그것이 죄송해서 최대한 에밀리아를 화나게 하지 않도록 노력해왔다.

하지만 지금 이 순간만큼은 야단맞는 것이 기뻐서 견딜 수 없었다.

"에, 에밀리아 선생님…… 저희를 알아 보시는군요……."

"다행이야…… 다행이에요오!"

"고작 하루 사라졌던 것뿐인데 반가워서 눈물이 나……."

"삐이!"

"뭐, 뭐야……? 왜 울어…… 내가 그렇게 심하게 혼냈나……?"

지각한 것을 나무랐을 뿐인데 학생들이 우는 바람에 에밀리아는 당황했다.

반 아이들도 영문을 모르겠다는 얼굴이었다.

사정을 모르면 그런 반응인 것도 당연했다.

그러나 로라 일행은 사정을 설명할 여유도 없이 에밀리아에게 안겨 우는 수밖에 없었다.

에밀리아는 난감해하면서도 로라 일행을 안아줬다.

로라 일행은 울면서 지금까지 있었던 일을 이야기하다가 거대 히드라를 쓰러뜨린 것이 발각됐다. 경사스럽게도 『반성문형』과 『일주일 화장실 청소형』에 처해졌다.

로라는 화장실 청소를 하면서 오믈렛 금지형을 받지 않아서 다행이라고 안도했다.

제 5 장 교칙을 지키면서 싸워요

"아무튼 이번만큼은 정말 초조했어요. 학장님이 안 계셨으면 어떻게 됐을지……. 다음에 정식으로 감사 인사를 드리러 가야 해요."

『반성문형』과 『일주일 화장실 청소형』이 내려진 다음 날 점심시간.

로라 일행은 학교 식당에서 평화롭게 점심을 즐기고 있었다.

이 평화를 무너뜨리지 않기 위해, 다시는 말썽을 일으키지 않기로 서로 맹세했다.

반성문에 그렇게 썼고, 구두로 에밀리아에게 선언도 했다.

로라 일행이 얌전히 있어도 말썽이 찾아온다면 어쩔 수 없지만 어쨌든 최선을 다해 맹세했다.

"감사 인사를 드리는 건 당연하고…… 또 지혜를 빌리고 싶어요."

"아아? 샬롯, 무슨 고민이라도 있어요? 말썽은 안 돼요. 이제 막 맹세했잖아요. 적어도 올해까지는 얌전하게 지내요. 앞으로 한 달도 남지 않았지만요……."

적어도 한 달 정도는 맹세를 지키지 않으면, 스스로 슬퍼질 것 같은 기분이 든다.

"말썽이 아니에요. 말썽을 일으키지 않고 목적을 달성하는 방법을 듣고 싶어요."

"목적……?"

"처음으로 거슬러 올라가면, 안나의 마법검을 테스트하기 위해서 대형 히드라를 쓰러뜨린 거예요. 하지만 그건 테스트를 한 게 아니잖아요?"

샬롯의 말에 안나는 끄덕였다.

"확실히. 일방적으로 공격한 것뿐이니까 그냥 바위를 벤 거나 마찬가지야."

"으으음…… 그 정도 말썽을 일으켜놓고 목표를 달성하지 못했다는 건…… 중대한 문제예요. 하지만 우리끼리 움직이면 말썽을 부를 게 불 보듯 뻔해요. 학장님한테 상담하는 수밖에 없어요!"

"수업이 끝나면 수면실로 가요!"

방과 후, 로라 일행은 학장실 앞에 모였다.

평소에는 복도를 뛰어서 모였겠지만, 말썽을 일으키지 않기로 맹세했으므로 걸어서 왔다. 그리고 학장실 문을 두드렸다. 그러나 반응이 없었다.

이 방의 주인은 항상 낮잠만 자는 사람이므로 이것은 예상했던 일이다.

"들어갈게요~."

로라는 학장실 문을 열었다. 예상대로 아무도 없었다.

그러나 학장실에는 복도에 면한 문 외에 다른 방으로 통하는 문이 하나 더 있다.

그 너머에 있는 것은 학장 전용 수면실이다.

대현자가 오직 낮잠을 자기 위해서 만들어진 방이다.

그 수면실에 가기 위해서는 원래 강력한 결계를 넘어야 한다.

그러나 요즘 로라가 그 결계를 여러 번 깨는 바람에 아무리 대현자라고 해도 다시 치는 것이 귀찮아진 모양이다.

마법적인 결계는 더 이상 존재하지 않고, 그냥 평범한 문과 통로가 있을 뿐이다.

"학장니이임."

수면실에 들어가자, 캐노피가 달린 커다란 침대에서 대현자가 새근거리면서 자고 있었다.

제대로 잠옷까지 갈아입었다.

이것은 낮잠이나 선잠의 범주가 아니라 제대로 된 수면이다.

"……깨우는 건 죄송해요."

"네. 우리는 어제 일을 인사드리러 온 거예요. 그런데 숙면을 방해하는 건 실례예요. 그건 감사 인사가 아니에요."

"저절로 깰 때까지 잠시 기다리자. 안 일어날 것 같지만."

언젠가 에밀리아에게 들은 이야기로는 대현자는 사흘 정도를 계속 잘 때도 있다고 한다.

여기서 밤이 될 때까지 기다려도 일어나지 않을 가능성이 높다.

그래도 모처럼 걸음을 했으니 아무것도 하지 않고 돌아가는 것은 바람직하지 않다.

"……이 이불. 엄청 폭신폭신해. 비쌀 것 같아."

그렇게 중얼거리면서, 안나는 대현자가 누워 있는 이불을 손으로 누르기 시작했다.

"안나도 궁금해요? 저도 이 방에 들어올 때마다 궁금했어요."

"저희 집에서 쓰는 이불보다 고급일지도 몰라요. 이 이불이라면 사흘까지는 아니더라도 반나절쯤은 감싸여 있고 싶어요."

"……몰래 들어가 볼까요?"

로라는 즉흥적으로 떠오른 생각을 말했다. 농담으로 해본 말이었다.

그러나 샬롯과 안나는 침묵한 뒤에 덥석 제안을 받아들였다.

그러자 로라도 솔깃해졌다.

"그럼 잠시만……."

세 사람은 굼실굼실 이불 안으로 들어갔다.

어쨌든 큼직한 침대였다.

소녀 세 명이 더 들어가도 아슬아슬하게 누울 수 있었다.

"삐이."

하쿠도 들어갔더니 겨우 누웠다.

오른쪽부터 로라, 하쿠, 샬롯, 대현자, 안나 순서로 나란히 누웠다.

이 인원수다 보니 아무리 대형 침대라도 비좁았다.

하지만 다 같이 꼭 붙어 있으니 따뜻해서 이건 이것대로 좋은 것 같기도 했다.

무엇보다 고급 이불이 폭신폭신하고 향기로웠다.

"하후우…… 정말 포근하고 좋아요…… 학장님이 여기서 계속 주무시는 것도 이해가 돼요……."

"동감이에요…… 이건 빠져나갈 수 없어요……."

"마치 미사키의 꼬리로 온몸을 감싸고 있는 기분이야…… 이건 위험해……."

"삐……."

하쿠마저 느긋하게 울고는 곧바로 잠이 들었다.

신수를 순식간에 잠들게 하다니, 무시무시한 이불이다.

"하쿠가 잠들어버렸으니 우리도 잘까요……."

"네……."

"우리가 여기에 뭐 하러 왔더라……."

안나가 그렇게 중얼거렸지만 이미 로라는 제대로 된 사고가 불가능해서 대답할 수도, 생각할 수도 없었다.

눈을 감고 자는 일 말고는 이미 불가능했다.

※

"흐암…… 여기는…… 아, 그렇지. 학장님 침대에 들어왔었어요…… 앗, 몸이 움직이지 않아요!! 어째서죠?!"

잠에서 깬 로라는 일어나려고 해도 무엇인가에 짓눌려서 꼼짝도 할 수 없는 사실에 당황했다.

그 무엇인가는, 이불이었다.

이불 안에서는 팔다리를 움직일 수 있지만 밖으로 나가려고 하자 불가사의한 힘으로 이불이 로라를 짓눌렀다.

"우후후. 로라, 깼어?"

"학장님?! 학장님 짓이군요! 왜 이런 짓을 하시는 거예요."

"왜? 그건 내가 할 말이야. 내가 자는 침대에 슬쩍 들어오다니…… 너희처럼 귀여운 애들 사이에 끼여서 자는 건 최고야. 놓아줄 리가 없잖아?"

"놓아줄 리……? 그렇게 말씀하셔도…… 저희는 그저 폭신폭신한 이불이구나 하고 살짝 들어와 본 것뿐이에요."

"그런 어리석은 짓은 하면 못써. 인식 저해 마법의 교훈을 살리지 못했구나. 정말. 나쁜 아이들이야."

"아니에요. 그게 아니에요. 마치 저희가 나쁜 것처럼 말씀하시지만 이불에 마법을 걸어서 꼼짝 못 하게 하고 있는 건 학장님이세요! 이런 짓궂은 장난은 멈춰주세요!"

"싫어~."

대현자는 아이 같은 말을 했다.

그리고 이불이 꿈틀거리더니, 로라 일행을 침대 중앙으로 밀었다.

원래 꼭 붙어서 누워 있었는데 더 꼭 붙는 꼴이 됐다.

"뭐, 뭐예요?! 괴로워요……!"

"이불이 밀어…… 어떻게 된 거야……?"

"삐—."

이불의 습격에 나머지 일행도 눈을 떴다.

처음에는 이불이 꿈틀거리는 이상 사태에 놀랐지만 그 이변의 중심에서 대현자가 「아아~~」 하고 행복해하는 것을 보고 바로 상황을 파악한 모양이다.

"학장님. 마음은 이해하지만 저희를 밀지 마세요!"

"폭신폭신 따끈따끈. 기분 좋아. 하지만 억지로는 싫어."

"그렇게 말해도, 이 침대에 들어왔을 때 이미 날 유혹한 거야."

굉장한 억지라고, 로라는 생각했다.

대현자는 마법사로서 그리고 모험가로서는 더할 나위 없이 존경할 수 있는 인물이었다. 숭배의 대상마저 될 수 있으리라. 그러나 어른으로서는 반면교사였다. 이런 어른은 되고 싶지 않았다.

"는 농담이고…… 너희들, 나한테 무슨 볼일이 있는 거야?"

"아아, 농담이셨군요. 다행이다……. 아뇨, 어제 구해주신 것에 대한 답례를 하려고요."

"답례? 그랬구나. 예의 바른 학생들이네. 딱히 그러지 않아도 되는데……. 하지만 너희가 정 그러겠다면, 이대로 이불하고 한 몸이 돼서 날 양쪽에서 따뜻하게 해줘."

"이불 취급?! 도움을 받은 대가는 무척 큰 거였어요……."

"우후후. 잠시만이야. 그럼 앞으로 삼십 분 동안 이대로 있어줘. 그럼 봐줄게."

"뭐, 삼십 분 정도라면……."

로라는 마지못해라는 분위기를 풍겨봤다. 하지만 실제로는 이 상황을 나름대로 즐기고 있었다.

애초에 로라는 매일 밤 샬롯의 포옹 베개 노릇을 하고 있었다. 침대 안에서 사람과 꼭 붙어 있는 것에는 익숙했다.

"그런데, 학장님. 상담하고 싶은 게 있어요. 말씀드려도 돼요?"

샬롯은 대현자가 머리카락을 만지는 것을 내버려두면서 용건을 꺼냈다.

로라는 이불의 안락함에 마음을 빼앗겨 상담 자체를 잊고 있었기에 순간 뭐였더라 하고 생각했다. 하지만 잘못한 것은 이불이지 로라가 아니다. 아마도.

"뭔데? 귀여운 너희들의 상담이라면 언제든지 환영이야."

"안나의 마법검 말인데요. 결국 그저께는 테스트다운 테스트는 하지 못했어요. 교칙을 어기지 않으면서 검을 테스트할 수 있는 방법이 없는지, 학장님의 지혜를 빌리고 싶어요."

"샬롯이 전부 말해줬어…… 요는 그거야. 학장님, 부탁드립니다."

"그렇구나. 마법검의 성능을 발휘하기에 어울리는 상대라…… 다시 말해서, 샬롯 정도 실력을 가진 상대가 좋으려나?"

"응, 응. 그 정도가 가장 좋아."

안나가 끄덕이자 샬롯은 부르르 몸을 떨었다.

"싫어요! 저는 시합이나 결투는 좋아하지만 친구와 목숨을 건 싸움은 하고 싶지 않아요!"

"아무도 샬롯을 벤다고는 안 했어. 안심해."

"다행이에요오……."

"그래서, 학장님. 샬롯 정도의 실력에, 베도 문제가 되지 않고, 거기다 교칙을 어기는 것도 아닌 상대로 생각나는 사람 없어?"

안나는 검을 시험할 상대에게 바라는 조건을 열거했다.

옆에서 듣고 있던 로라는 상당히 사치스러운 조건이라는 생각이 들었다.

그러나 그것들은 필요한 조건이다.

특히 『베도 문제가 되지 않는다』와 『교칙 위반이 아니다』는 필수다.

하지만 그렇게 유리한 상대가 이 세상에 있을까.

"있어."

대현자는 선뜻 대답했다.

"굉장해요! 전혀 떠오르지 않는데요……. 교칙 위반이 아니라는 건, 몬스터가 아닌 거죠?"

"몬스터가 아니야."

"베도 문제가 안 된다는 건, 사람도 아닌 거야?"

"안나한테 사람을 베라고 할 리가 없잖아?"

"그러면서 저와 맞먹는 실력인 건가요?"

"맞먹어. 완전히 똑같다고 해도 과언이 아니야."

대현자는 모든 조건을 만족시키는 상대가 있다고 호언장담했다.

로라는 그게 어떤 상대일지 떠올려 보려고 했다.

그러나 전혀 떠오르지 않았다.

"음. 힌트를 주세요!"

"우후후. 힌트는, 너희가 낸 조건 자체야."

"그걸로는 몰라요……."

로라는 입술을 쭉 내밀었다.

"뭐, 말보다는 증거. 백문이 불여일견이야. 지금 우리 집에 가자. 오늘 중에 싸우게 해줄게."

"엑, 학장님 집에 그 상대가 있어요?!"

"상대도 궁금하지만 학장님 집이 어떤 곳일지 궁금해. 낮잠용 방이 잔뜩 있을 것 같아."

"……침실은 하나뿐이야."

대현자는 안나의 상상을 곧바로 부정했다.

사실은 로라도 같은 상상을 했지만, 아무래도 편견이었던 모양이다.

그렇지만 대현자는 도처에서 낮잠을 자니 이 세계 자체가 낮잠용 방이라고 해도 과언이 아니다.

터무니없는 규모다.

역시 대현자는 굉장하구나, 하고 로라는 새삼 감탄했다.

※

꿈틀거리는 이불이 평범한 이불로 돌아옴으로써 로라 일행은 해방됐다.

그리고 줄지어 대현자의 집으로 향했다.

어느새 완전히 해가 저물어 있었다.

아이들끼리만 밤거리를 걷는 것은 별로 바람직하지 않다.

물론 로라 일행은 어떤 악당을 만나더라도 물리칠 수 있다.

그러나 물리치는 것을 전제로 돌아다니는 것은 말썽을 불러들이는 것이나 마찬가지다.

하지만 지금은 대현자와 함께라서 괜찮다.

대현자의 내면이 어른인지 아닌지는 논의가 필요한 부분이지만, 육체적으로는 어른이고 실력은 세계 최강이다.

보호자로서는 더할 나위 없이 든든하다.

"어? 이쪽은 왕궁으로 가는 방향이에요……. 학장님 댁은 왕궁 근처에 있나요?"

"응~. 그래서 편하게 폐하한테 놀러 갈 수 있어~."

"그렇군요. 사이가 좋은 건 좋은 거예요."

실제로 대현자와 여왕은 무척 사이가 좋아 보였다.

그러나 대현자와는 다르게 여왕은 무척 성실히 일하고 있을 터다.

너무 자주 놀러 가서 여왕의 일을 방해하면 이 나라 자체가 기울지도 모르므로 자세해주었으면 하는 부분이다.

다만, 대현자는 낮잠을 자는 시간이 비정상적으로 길어서 자동적으로 여왕과 만나는 시간이 알맞게 줄어든 건지도 모른다.

"여기가 우리 집이야."

"와아…… 앗, 왕궁 문의 정면이잖아요!"

"맞아~. 3대 전 왕한테 받은 집이야. 여기에 내가 살면 나쁜 녀석들이 왕궁에 접근하지 않을 거라면서."

"그렇군요…… 그건 확실히 그렇겠어요."

"옛날 왕, 똑똑해."

"최강의 문지기예요……."

선대왕에게 받았다는 대현자의 집은 왕궁만큼은 아니지만 충분히 큰 집이었다.

우선 근사한 철문이 있고 그 안쪽에는 세련된 정원이 있었다. 지금은 겨울이라서 초목뿐이지만 따뜻해지면 알록달록한 꽃이 필 것 같았다.

집 자체는 이 층 건물이었다. 적게 어림잡아도 방은 열 개 이상일 것으로 짐작됐다.

"저희 집이랑 비슷한 크기예요. 꼭 집에 온 것처럼 편안한 느낌이에요."

"편안하다니…… 난 긴장밖에 안 돼."

"마찬가지예요……. 서민의 생활수준하고는 거리가 먼 세계예요……."

안나는 고아원에서 자랐다.

로라의 집은 가난하지는 않지만 그렇다고 해서 특별히 풍족하지도 않았다.

따라서 두 사람 다 이런 호화 저택과는 거리가 먼 인생이었다.

언젠가 대현자를 따라서 왕궁에 돌격했던 적이 있지만 그때는 솔직히 제정신이 아니었다.

더구나 그 용건은『왕가의 보물 중에 괜찮은 검이 있으면 줘』였다.

에밀리아에게 야단맞는 것이 그나마 마음이 편했다.

“둘 다 긴장할 거 없어. 이 집은 나만 사는 곳이니까. 눈치 보지 말고 편하게 있어.”

“학장님만요? 집안일을 도와주시는 분도 없는 거예요?”

“없어.”

“흐으…… 그럼, 이 넓은 집과 정원을 혼자서 청소하시는 거군요. 존경스러워요. 낮잠만 주무시는 줄 알았더니 집안일도 하실 수 있었네요!”

“이래 봬도 요리에는 꽤 자신 있어. 어쨌든, 우선 안으로 들어가자.”

대현자가 휙 하고 손을 움직이자 철문이 저절로 열렸다.

열쇠가 필요 없는 굉장히 편리한 문이다.

오히려 열쇠 구멍이 없는 것으로 보아, 대현자가 마법을 써야 열리는 구조인 건지도 모른다.

““““실례합니다.””””

“그래.”

“삐―.”

안으로 들어가자, 바닥은 반짝반짝 윤이 났다. 먼지 한 톨 떨어져 있지 않았다.

정말 깨끗하게 청소되어 있구나, 하고 감탄하고 있었더니 복도 끝에서 덜거덕거리는 금속음이 들려왔다.

뭘까 하고 눈길을 주자, 하얀 갑옷을 입은 사람이 다가오고 있는 것이 아닌가.

"헉! 학장님, 혼자 사신다더니 다른 사람도 있잖아요! 안녕하세요. 처음 뵙겠습니다. 로라 에드몬즈입니다."

"저는 샬롯 가자드예요. 학장님께는 늘 신세를 지고 있어요."

"안나 아네트. 잘 부탁해."

로라 일행이 하얀 갑옷을 입은 사람에게 인사하자, 대현자가 킥킥거리고 웃기 시작했다.

"인사성도 밝고, 착하구나. 하지만 그건 사람이 아니야. 갑옷 안은 텅 비었어. 내 마력이 들어 있을 뿐이야."

"텅 비어서 움직이는 갑옷……. 아, 수업 시간에 배웠어요. 인형이나 갑옷처럼 인간의 형상을 한 물건에 술식과 마력을 주입해서 가사 도우미나 병사로 쓰는 거예요!"

"그래, 맞아. 난 스팅이라고 부르는 갑옷인데, 집안일이나 경비를 겸하고 있어. 상당히 강해서 빈집털이가 들어와도 끄떡없어. 뭐, 평범한 빈집털이는 침입하는 것 자체가 무리겠지만."

"와아, 그랬군요. 스팅 씨, 잘 부탁드립니다."

로라는 움직이는 갑옷에게 악수를 청했다.

그러자 스팅은 덜거덕거리며 제대로 손을 맞잡아주었다.

"와아, 똑똑해!"

"삐—."

하쿠도 재미있어하며 로라의 머리 위에서 앞발을 뻗었다.

영리한 스팅은 손가락 끝을 하쿠의 앞발에 붙였다.

"저도 악수하고 싶어요."

"나도, 나도."

샬롯과 안나도 하얀 갑옷과 꼭 악수했다.

"스팅은 인기쟁이네. 언제 수다 떠는 기능이라도 추가할까."

"와. 그거 좋네요. 스팅은 남자아이예요? 여자아이예요?"

"그러고 보니 정하지 않았어. 으음…… 자기는 남자인 줄 알았는데 알고 봤더니 여자라는 걸 알고 당황하는 아이로 할까?"

"쓸데없이 설정이 복잡해요!"

"너무 이상한 설정을 하면 스팅이 불쌍해요."

"간단한 성장 내력이 좋아. 길가에 쓰러져 있던 걸 학장님이 구해줘서 이 집에서 일하게 됐다는 설정으로 하자."

"너무 평범해. 이왕이면 에밀리아의 생이별한 여동생으로 하자."

"그런 설정을 하면 어디선가 에밀리아 선생님한테 폐가 돼서 또 위에 부담을 주게 되니까 안 돼요."

"시시해."

이리하여 로라는 에밀리아 본인이 모르는 곳에서 멋대로 여동생이 탄생하는 것을 막았다.

그건 그렇고, 중요한 것은 검을 시험할 상대다.

안나의 마법검인 케라우노스와 아네모이의 성능을 발휘하기에 걸맞은 상대를 찾으려고 여기까지 온 것이다.

움직이는 갑옷과 악수를 나누는 것도 재미있지만 본래의 목적을 잊어서는 안 된다.

로라 일행은 때때로 본래 목적을 잃는 버릇이 있으므로 주의해야 한다.

"이쪽이야. 좋은 게 있어."

"좋은 거……. 보고 싶지만 그것보다 검을 테스트하는 게 더 중요해."

"테스트하고 관련 있는 거야."

"무슨 말인지 잘 모르겠지만, 알았어."

안나는 대현자를 타박타박 따라갔다. 로라와 샬롯도 뒤따라갔다.

그리고 대현자는 어느 방으로 들어갔다.

아무래도 창고인 듯했다.

마법 조명에 비친 그 방에는 다양한 물건이 잡다하게 놓여 있었다.

"학장님. 이 커다란 항아리는 뭐예요?"

"그건 절임을 맛있게 만들 수 있는 마법 항아리야. 옛날에 골동품점에서 발견하고 충동구매 했어. 두 번 정도밖에 안 썼지만……."

"와아, 편리하네요. 별로 마법 아이템 같지 않은 효과지만요."

대관절 어떤 마법사가 만든 항아리인지는 몰라도 어지간히 절임을 좋아한 것이리라.

"그럼 이 알록달록한 부츠는 뭐예요?"

"아무리 꽁꽁 언 땅에서도 절대로 미끄러져 넘어지지 않는 부츠야."

"다가오는 계절에 도움이 될 것 같아요. 하지만 너무 화려해서 촌스러워요……."

"이 색깔을 어떻게 해볼까 했는데, 이 색깔에 미끄러지지 않는 효과가 있는 모양이야."

"난감한 부츠예요……."

샬롯은 아쉬운 듯이 부츠를 선반에 돌려놨다.

"그럼 이 병에 든 액체는?"

"인기 약이야. 그걸 마시면 한동안 남자한테 인기가 있어져."

"와아. 그럼 에밀리아 선생님한테 마시게 하면 어때?"

"하지만 그건 종족하고 관계없이 인기가 있어져서 인간뿐만 아니라 고양이나 말이나 케르베로스한테도 인기가 있어져."

"그건…… 상당히 몹쓸 약이네……."

안나는 병에서 물러났다.

"아무튼, 학장님. 검 테스트하고 관련 있는 건 어떤 거예요?"

"그게, 어디에 넣어뒀더라…… 아아, 여기 있다."

그렇게 말한 대현자가 꺼내 온 것은 네 개의 베개였다.

잘 때 머리 밑에 놓는 그 베개다.

"……학장님! 낮잠은 조금 전까지 주무셨잖아요! 잠은 나중에 주무세요!"

"맞아요. 장난치지 말아주세요."

"학장님으로 시험하면 돼?"

"자, 잠깐. 진정해. 난 진지해. 이 베개를 베고 자면, 모두 똑같은 꿈의 세계로 갈 수가 있어."

안나가 검을 뽑으려 하는 것을 보고, 대현자가 황급히 설명하기 시작했다.

"같은 꿈……? 그건, 그건가요? 언젠가 학장님이 마신과 싸우는 광경을 보여주신 꿈 같은 건가요?"

"그래, 맞아. 그런 느낌이야. 하지만 그건 내 기억을 재현해서 보여줬던 것뿐이야. 이 베개를 베면 가공의 세계를 꿈속에서 만들어서 다 같이 체험할 수가 있어."

"꿈의 세계…… 거기서 검을 테스트하라는 거야?"

안나가 묻자, 대현자는 끄덕였다.

"그래. 꿈의 세계라면 아무리 강력한 몬스터를 쓰러뜨려도 교칙 위반이 아니고, 잘못해서 죽어도 현실에는 영향이 없어."

그 말을 들은 샬롯이 안나 이상으로 눈을 반짝반짝 빛냈다.

"그, 그러니까…… 꿈의 세계에서라면 저와 안나가 진검승부를 할 수도 있는 건가요?"

"어머. 하고 싶어? 진검승부."

"하고 싶어요! 지금의 안나와 앞뒤 생각하지 않고 진심으로 붙어보고 싶어요!"

샬롯이 그렇게 외치자 안나도「나도」하고 말했다.

"샬롯하고도 로라하고도 진심으로 싸워보고 싶어. 하지만 그러면 죽을지도 몰라……. 그래서 결국은 무의식적으로 힘을 조절해 버려."

로라도 그 말에는 수긍했다.

세 사람은 절친이다. 그러나 동시에 라이벌이기도 했다.

싸워서 이기고 싶어 하는 것은 자연스러운 일이다.

그러나 세 사람은 지나치게 강해졌다.

진지하게 싸우면 지형이 변하고, 서로가 무사하게는 끝나지 않는다.

특히 샬롯과 안나의 실력은 팽팽해서 진검승부는 참혹하기 그지없을 것이다.

1학기 말에 로라와 샬롯이 진검승부를 펼쳤지만 당시의 두 사람 사이에 커다란 실력 차가 있었기에 양쪽 모두 죽지 않고 싸움을 마칠 수가 있었다.

대현자의 말로는 목 위가 무사하면 어떻게든 치료해주는 모양이다.

그러나 지금의 샬롯과 안나가 싸우면 목 위가 무사하게 끝날 확률은 낮아 보였다.

"그럼, 안나는 샬롯으로 테스트해."

"현실에서는 싫지만 꿈의 세계에서라면 언제든지 환영이에요! 다만, 얌전히 목을 내어줄 생각은 없어요! 오호호호!"

샬롯은 갑자기 악당처럼 크게 웃기 시작했다.

너무나도 확실하게 희생양이 될 사람이라는 느낌이다.

"그럼, 오늘 밤에 꿈속에서 싸우자."

안나와 샬롯은 싸움을 약속하고 굳은 악수를 나누었다.

"삐―. 삐―."

갑자기 로라의 머리 위에서 날아오른 하쿠가 대현자가 안고 있는 베개 위에 착지했다.

그러고는 마치 자신의 진지라는 듯이 떡하니 버티고 앉았다.

"……아, 그래요. 학장님, 저, 샬롯, 안나가 베개 네 개를 다 써버렸어요. 하쿠 베개가 없어요!"

"삐!"

그래! 라는 듯이 하쿠는 날개를 펼쳐 보였다.

"……하쿠가 대화 내용을 이해한 거예요?"

"아니에요. 자세히는 이해하지 못했겠지만 자기 몫이 없다는 것만은 알았을 거예요."

"삐—!"

"그럼, 로라하고 하쿠가 같은 베개를 쓰면 어때? 둘 다 작으니까 어떻게 벨 수 있겠지."

"삐이? 삐—."

하쿠는 그 의견을 받아들였는지 부드럽게 울고는 다시 로라의 머리 위로 돌아갔다.

"전부터 생각한 건데, 하쿠는 우리가 하는 말을 어디까지 알아듣는 걸까?"

안나가 불쑥 궁금한 점을 중얼거렸다.

"아마도, 간단한 단어 정도밖에 모르지 않을까요? 나머지는 그 자리의 분위기를 파악하는 것뿐이에요. 그렇죠? 하쿠!"

"삐—."

하쿠는 즐거운 듯이 울며 굼실거렸다.

그것이 긍정의 뜻인지 아닌지는 로라도 모르지만, 싫어하는 반응은 아니므로 긍정인 것으로 해두기로 했다.

“그래서, 학장님. 이 베개를 베고 자기만 하면 모두가 같은 꿈을 꾸는 거예요?”

“응~. 내가 조금 먼저 잠들어서 꿈을 좋게 조정해둘 테니까 너희는 밤이 되면 꿈의 세계로 와.”

“……조금 전까지 주무셔놓고 벌써 주무시고 싶으시군요.”

“따, 딱히 자고 싶어서 자는 게 아니야!! 너희를 위해서야!”

“네에…….”

대현자의 말은 무척이나 의심스러웠지만 편리한 베개를 제공해준 것을 참작해서 더는 추궁하지 않기로 했다.

※

“읏샤……. 자, 하쿠는 제 옆에 머리를 얹으세요.”

“삐—.”

밤이 되자 평소처럼 침대로 들어간 로라는 대현자의 집에서 갖고 온 베개 끄트머리를 베고 누웠다.

그러자 하쿠가 로라의 옆에 느긋하게 엎드려 눕고는 턱을 베개에 폭 하고 얹었다.

“로라하고 제 사이에 하쿠가…… 우우, 이러면 안을 수가 없어요…….”

“오늘 하루 정도는 참아주세요. 그리고 사이에 하쿠가 있어도 손은 닿잖아요. 손을 잡고 자요.”

“저는 로라를 안지 않으면 잠을 잘 수가 없어요. 이러면 안나와 꿈의 세계에서 대결할 수가 없어요!”

“괜찮다니까요. 사람은 마음만 먹으면 언제 어디서든 잠들 수 있어요!”

“그런 사람은 로라하고 학장님뿐이에요…….”

그런 이야기를 하면서도 몇 분 후.

“퓨우…….”

“후아…….”

“쀼이…….”

두 사람과 한 마리는 사이좋게 새근거리며 꿈나라로 여행을 떠났다.

※

“로라. 샬롯. 하쿠. 일어나, 일어나.”

안나의 목소리가 들렸다. 그리고 뺨을 가볍게 때리는 느낌이 들었다.

“우우…… 이제 막 잠들었는데…….”

"괜찮아. 아직 한창 자는 중이니까. 여긴 꿈의 세계야."

"꿈……?"

로라는 눈을 떴다. 그러자 안나가 들여다보고 있었다.

"그러니까, 꿈속의 안나인 거예요?"

"아니야. 현실의 안나야."

"하지만 여기는 꿈이고요."

"그래, 꿈이야."

"……다시 생각해도 복잡해요."

"복잡하게 생각하면 머리 아프니까 생각하지 않기로 했어. 어쨌든 다 같이 같은 꿈을 꾸고 있어."

꿈속인데도 자신의 머릿속에서 만들어진 세계가 아니라, 모두의 의식이 이어져 있고 현실 같은 존재감을 갖고 있다.

이것은 엄밀히 따지면 꿈이 아니라고 생각하기 시작하면 끝이 없다. 안나의 말대로 깊이 생각하지 않는 것이 정답이리라.

"그나저나 너무 어두워요. 아니, 배경이 검은 것뿐이고 안나의 얼굴은 또렷이 보여요."

"그래. 어둡고 아무것도 없지만 너희도 내 몸도 제대로 보여. 신기해."

로라의 옆에는 하쿠와 샬롯이 아무렇게나 누워 있었다.

꿈속에서 자고 있다라…… 점점 더 복잡해졌다.

"하쿠, 샬롯. 일어나세요……. 아, 꿈속이니까 일어나는 게 아닌가? 으음, 일단 눈을 떠주세요."

"흠냐흠냐…… 로라, 원래도 작은데 더 작아져버렸네요……."

샬롯은 잠결에 하쿠를 끌어안고 이리저리 쓰다듬었다.

하쿠는 새끼 고양이정도 크기밖에 되지 않아서 굳이 비교할 것도 없이 로라보다 작았다.

"정말, 샬롯. 그건 하쿠예요. 그리고 저는 작지 않아요. 아홉 살 치고는 평범해요."

로라는 샬롯의 몸을 흔들면서 항의했다.

한 달 남짓 뒤면 로라는 열 살이 되므로 이 주장은 깨지기 직전이지만 그 사실은 억지로 무시했다.

"삐이이……."

한발 먼저 눈을 뜬 하쿠는 귀찮다는 듯이 울었다.

"……어머? 로라하고 하쿠가 바뀌었어요!"

"바뀌지 않았어요. 하쿠는 계속 하쿠예요."

"그럼 저는 하쿠를 포옹 베개로? 이 샬롯이…… 미안해요, 하쿠."

"삐."

샬롯의 품에서 도망친 하쿠는 로라의 머리 위로 이동했다.

"아무튼, 여기는 꿈의 세계예요? 학장님은 어디에 계세요?"

"내가 몇 분 먼저 여기로 왔는데 학장님은 안 보여. 깨어 있을

리는 없을 테니까 어딘가에 있을 텐데……."

그렇다면 찾아 나서자고 로라가 생각했을 때, 어디선가 낯선 여성의 목소리가 들려왔다.

"로라 님. 샬롯 님. 안나 님. 하쿠 님. 오신 것을 환영합니다. 저는 이 클라우드 꿈 세계의 관리자입니다."

듣기 좋은 맑고 아름다운 목소리였다.

"클라우드 꿈 세계? 관리자?"

"무슨 말인지 모르겠어요."

"숨지 말고 나와."

"삐—."

"죄송합니다. 저는 실체가 있는 것이 아니라, 말하자면 이 세계 자체입니다. 따라서 모습을 보여드릴 수는 없습니다. 그리고 질문에 있던 클라우드 꿈 세계 말입니다만, 그것은 그야말로 지금, 여러분이 보고 계신 이 세계입니다. 그 클라우드 꿈 베개를 사용하시면 수많은 사람들이 공통된 꿈을 꿀 수 있을 뿐만 아니라, 꿈의 내용을 세세하게 설정해서 즐길 수 있습니다."

관리자는 막힘없이 설명했다.

긴 문장이지만 알아듣기 쉬운 목소리라서 술술 머릿속에 들어왔다.

"우와~. 그렇군요. 그럼, 우리끼리 꿈의 내용을 만들 수 있는 거네요!"

"예. 원래는 말이죠. 하지만 오늘은 먼저 칼로테 님이 꿈의 내용을 정해두셨습니다. 부디 양해해주십시오."

칼로테 님이 누구더라 하고 로라는 한순간 고민했지만, 대현자의 이름이었다.

항상 학장님이라고 불러서 본명이 익숙하지 않다.

"그 칼로테 학장님은 어디에 계세요?"

"이 세계 속에요. 칼로테 님이 만드신 이야기를 시작하면 등장하실 겁니다."

"그렇군요. 그럼, 시작할까요?"

로라는 샬롯과 안나를 바라봤다.

"물론이에요. 그 이야기는, 저와 안나가 싸우는 이야기인 거죠?"

"예. 그런 설정입니다."

관리자는 대답했다.

"그럼 얼른 시작하자."

안나가 재촉했다.

강해지고 싶었다. 강해졌는지 알아보고 싶었다.

그럴 기회가 있다면 놓쳐서는 안 되었다.

평범한 학생이라면 수업을 성실히 듣는 것만으로도 강해질 수 있고 강함을 시험할 수 있으리라.

그러나 이곳에 있는 세 사람은 이미 그런 영역이 아니었다.

실기는 기초를 확인할 수 있고 이론 수업은 모르는 것투성이라서 공부가 되지만, 직접적인 실력으로는 이어지지 않았다.

그러나 길드레아 모험가 학교에는 대현자가 있고, 이렇게 이끌어 주는 이상, 역시 계속 학교를 다니는 것이 강해지는 지름길이다.

"알겠습니다. 그럼…… 『검사 안나의 로라 공주 구출 작전! 나쁜 마법사 샬롯을 해치워라!』를 시작하겠습니다."

"네? 제가 나쁜 마법사라니…… 어떻게 된 거예요!"

샬롯이 소리쳤지만 관리자는 대답하지 않았다.

그 대신, 어둡던 공간이 하얀 빛으로 뒤덮였다. 눈이 부셔서 로라 일행은 눈을 감았다.

그리고 조심스레 눈을 뜨자, 그곳은 잿빛 돌로 된 넓은 방이었다.

"흠. 여기는 어딜까요?"

"삐—?"

로라의 머리 위에는 언제나처럼 하쿠가 있었다.

엉덩이 밑에는 폭신폭신한 베개가 있었다.

다시 말해서, 로라는 침대 위에 앉아 있었다.

꿈 세계에 왔을 때 입고 있던 인형탈 잠옷이 아니라, 하늘하늘한 드레스를 입고 있었다. 그 모습은 마치 공주님 같았다.

한편 눈앞에 서 있는 샬롯은 살짝 노출이 많은 까만 드레스라는 불량스러운 차림이었다.

이야기에 나오는 『나쁜 마법사』 이미지 그 자체다.

"아아~~. 로라, 인형처럼 귀여워요오오…… 거기에 비해서 저는 새까매요!"

"으음…… 학장님은 샬롯한테 그런 역할을 맡기고 싶으셨나 봐요."

"맞았어~."

그때 갑자기 이불 속에서 대현자가 나타나 로라의 품으로 뛰어들었다.

"으앗! 깜짝 놀랐잖아요. 갑자기 나타나시는 건 그만두세요. 오직 이 순간을 위해서 기척을 없애고 계속 숨어 계신 거예요……?"

"아니. 그냥 자고 있었을 뿐이야."

"……이곳은 꿈의 세계인 거죠? 다시 말해서 깨어 있어도 실제로는 주무시는 거 아닌가요?"

"이중으로 잘 수 있다니 멋지잖아."

"……저는 아직 학장님의 철학을 이해하기에는 부족한가 봐요."

로라는 대현자의 게으른 버릇을 철학의 문제로 슬쩍 얼버무려서 넘기려 했다.

그런데.

"철학이라기보다, 학장님이 연세가 드셔서 수면 시간이 긴 것뿐 아니에요?"

© 2018 Riichu

샤롯은 일부러 모두가 언급을 자제했던 부분을 끝내 건드렸다.

대현자는 이제 곧 삼백 살이었다. 외모는 이십 대 초반의 미인이지만 실제로는 할머니 중의 할머니였다.

나이가 들면 수면 시간이 늘어난다고 하지만 대현자가 낮잠만 자는 것은 그야말로 그것 때문이라고 샤롯은 말해버린 것이다.

로라도 어렴풋이 그렇게 생각했었지만 굳이 입 밖에 내지 않았다.

그러나 샤롯은 끝내 본인을 향해 단언했다.

"……에잇!"

대현자는 짧은 기합과 함께 샤롯을 향해 전기를 쐈다.

"으다다다다다다다."

샤롯은 요상한 비명을 지르며 부르르 떨고는 쿵 하고 하늘을 향해 쓰러졌다.

그와 동시에, 관이 나타나서 샤롯의 몸을 집어넣어버렸다.

"아? 이 관은 대체……?"

"이 세계에서는 죽으면 자동적으로 관이 몸을 덮어버려~."

대현자는 침대 위에서 로라를 끌어안은 채로 말했다.

"학장님. 샤롯을 죽이신 거예요?!"

"죽이다니 설마. 이건 꿈이야! 이 세계에서 죽으면 잠에서 깨서 현실로 돌아가. 그리고 다시 잠들면……."

대현자의 설명이 끝나기 전에 관 뚜껑이 열리고 샤롯이 튀어나왔다.

“그래. 잠들면 관 속에서 부활해. 이건 설정을 변경할 수 있어서, 세이브 포인트에 가지 않으면 부활하지 못하게끔 할 수도 있어.”

“세이브 포인트……? 잘은 모르겠지만, 어디에서든 쉽게 부활할 수 없게끔 하는 거군요.”

“이해가 빠르구나, 로라. 뭐, 오늘은 샬롯하고 안나가 싸우는 것뿐인 이야기니까 그런 성가신 설정은 하지 않았지만 말이야.”

“그런 건 아무래도 좋아요! 아무리 꿈속이라도 갑자기 죽이시다니 너무해요!”

샬롯은 침이 튈 정도로 대현자에게 따졌다.

“어머나. 이 세계의 시스템을 알기 쉽게 설명해줬잖아. 이걸로 죽어도 괜찮다는 걸 알았잖아?”

“그건 그렇지만…… 아니, 그것보다! 학장님은 어째서 아까부터 로라를 끌어안고 계신 거예요?! 로라는 제 거예요!”

그랬었나? 하고 로라는 고개를 갸웃했다.

“어머. 로라는 내 거야!”

딱히 대현자의 것도 아닐 텐데, 하고 로라는 격한 의문에 사로잡혔다.

아니, 그런 것보다 이야기를 진행시키는 것이 먼저다.

어찌된 영문인지 세상 사람들은 로라를 포옹 베개로 삼기 위해서라면 이야기가 아무리 옆길로 새도 좋다고 생각하는 구석이 있다. 난감한 일이다.

"……저기. 샬롯하고 안나를 싸우게 하는 거죠? 그런데 안나가 없는 건 어떻게 된 거예요?"

"그래요. 저도 그걸 말하고 싶었어요!"

"안나는 정의의 검사라서 로라를 구하러 올 거야. 여기는 커다란 탑의 맨 꼭대기 층이야. 악의 마법사 샬롯의 본거지지. 로라는 샬롯한테 납치당한 공주님이고. 참고로 나는 샬롯의 충직한 사역마야. 아, 이 설정은 관리자가 안나한테도 전달했을 테니까 지금쯤 온갖 몬스터를 쓰러뜨리면서 탑을 올라오고 있을 거야."

"삐이?"

"하쿠는 언제나처럼 로라하고 사이가 좋은 신비한 생물이야."

"삐―."

로라의 머리 위에서 신비한 생물은 앞발을 파닥거렸다.

"사, 사역마가 어째서 저의 로라를 독차지하고 있는 거예요?!"

"네 명령으로 이 공주님을 꼭 붙잡아둔다는 설정이야."

"그, 그 명령을 해제할게요!"

"안 돼. 로라는 안는 느낌이 좋단 말이야. 그리고 저기. 샬롯을 물리치기 위해서 정의의 검사님이 왔어."

대현자의 말대로 문이 쾅 하고 열리고 안나가 방으로 들어왔다.

그 복장은 인형탈 잠옷도, 교복도 아니다.

쇠로 된 손목 보호대와 갑옷, 부츠를 장착한 검사 차림이다.

물론, 양손에는 고대 문명의 마법검인 케라우노스와 아네모이를 들고 있다.

"로라 공주. 구하러 왔어. 나쁜 마법사 샬롯은 내가 심판할게."

"안나! 설정에 충실한 대사예요! 의외로 즐기고 있네요!"

"이런 건 몰입하게 돼."

"와아! 그럼 저도 공주님 연기를 할게요. 꺄아. 살려주세요, 검사님."

"……너무 발연기야. 살짝 의욕이 꺾였어."

"세상에!"

로라는 최선을 다해 공주님이 되려고 했지만 연기력이 부족했던 모양이다.

모처럼 상황을 즐기려고 했지만…… 안나의 의욕에 찬물을 끼얹는 것도 싫으니 자연스럽게 하기로 했다.

"오호호호호호! 안나, 용케 여기까지 왔군요. 환영해요. 하지만…… 로라는 저의 것이에요!"

"우와. 샬롯은 굉장한 연기력이에요."

"연기라기보다, 평소 모습 그대로 아니야?"

대현자의 지적에 로라는 아하 하고 깨달았다.

"확실히 그러네요!"

그런 로라를 내버려두고, 샬롯과 안나가 대치했다.

서로의 시선이 충돌했다.

방이 마력으로 가득 차기 시작했다.

앞으로 시작될 싸움이 심상치 않은 것임을 공기가 말하고 있었다.

"안나. 먼저 설명해두자면, 이 세계에서는 죽어도 잠에서 깨는 것뿐이에요."

"알아. 관리자한테 들었고, 이곳에 오기까지 리바이어던이나 베헤모스가 잔뜩 있어서 여러 번 죽었어."

"어머나. 앞에 만난 몬스터한테 죽다니 한심해요! 그런 실력으로 이 샬롯 가자드를 이길 수 있다고 생각하나요?!"

이 샬롯 가자드 라는 소개가 자못 악당스럽다.

보통 사람은 자신의 풀 네임을 목청껏 외치지 않는다.

그러나 그녀는 평소에도 이런 느낌이다. 이 정도로 악역이 어울리는 사람도 없으리라.

다만, 말투를 빼면 악역과는 거리가 먼 사람이다. 오히려 사람 좋은 부류일 것이다.

"대형 몬스터 다섯 마리한테 둘러싸이면 샬롯도 죽을 것 같은데……."

"……그, 그건 난이도가 높아요…… 하지만 근성으로 어떻게든 극복하겠어요!"

"정말이야?"

"근성만 있으면, 사람은 죽지 않는 법이에요!"

샬롯이 아무 말이나 던지기에 로라는 지적해둘 필요성을 느꼈다.

"샬롯. 조금 전에 학장님의 전기 공격으로 한 번 죽었었죠? 그건 근성이 부족했던 거였나요?"

"그건…… 그…… 근성으로는 어쩌지 못할 상황도 드물게 있어요!"

"리바이어던이나 베헤모스가 다섯 마리나 동시에 나타나는 것도 드문 일이에요."

"……그런 건 아무래도 좋아요! 자, 안나! 로라 공주를 되찾고 싶으면 저를 쓰러뜨려 보세요! 그러지 않으면 내일 저는 로라 공주와 결혼하고, 에드몬드 왕국을 손안에 넣겠어요!"

"그렇게는 안 둬……. 로라 공주하고 결혼하는 건 나야……."

두 사람은 묘한 설정을 하기 시작했다.

이야기에 지나치게 몰입한 것이 아닐까.

그러나 몰입했기에 박력이 대단하다.

아니, 실없는 대화는 여기까지다.

대현자가 상황을 설정해줬지만 원래 두 사람은 이유가 없어도 싸울 수 있었다.

싸움을 했다거나 어떤 것을 두고 쟁탈전을 벌인다거나.

그런 알기 쉬운 이유도 없이, 단순히 힘겨루기로 진지한 싸움을 하려는 것이다.

로라를 구한다는 설정은 기껏해야 신호에 지나지 않는다.

신호가 떨어지고, 결전의 막이 올랐다.

※

안나는 두 자루의 마법검을 힘주어 쥐면서, 자신의 심장이 뛰는 소리를 듣고 있었다.

긴장하고 있었다.

샬롯과 싸우는 것은 딱히 이번이 처음이 아니다.

첫 번째는 교내 토너먼트의 준결승에서.

두 번째는 바로 며칠 전 초원 위에서.

그러나 두 번 모두 샬롯은 전력을 다하지 않았다.

첫 번째는 그야말로 제대로 상대해주지 않았다. 샬롯에게 다치지 않도록 배려받고 말았다. 그것은 도저히 승부라고 할 수 없었다.

두 번째는 일단 힘 조절은 하지 않은 것 같았다. 실제로 의식적으로 힘을 뺀 것은 아닐 터였다. 안나가 든 마법검, 케라우노스와 아네모이는 그때 이미 대현자가 개조해줘서 안나는 그것을 능숙하게 다루고 있었다. 조절할 여유 따위 준 기억은 없었다.

그 결과, 두 번째 대결은 안나가 이겼다.

샬롯은 그것을 순순히 인정했다. 그리고 마치 안나가 샬롯과 같은 급이 되었다는 듯한 분위기마저 생겨났다.

그러나 아니라고, 안나 스스로는 생각했다.

딱히 무기의 성능에 기대어 싸웠다는 이유로 자신의 승리를 부정하는 것이 아니다.

강력한 검을 손에 넣고, 그것을 능숙하게 다루는 것도 검사의 기량 중 하나다.

그것을 부끄럽게 여길 생각은 추호도 없었다.

문제는 샬롯의 진정성이다.

조절하지 않는 것과 진심인 것은 비슷한 듯하지만 살짝 다르다.

무슨 일이 있어도 지고 싶지 않다는 강한 마음이 그때의 샬롯에게는 없었다.

강적으로 인식해주지 않았던 것이다.

안나는 그런 샬롯의 마음의 빈틈을 찔러 쓰러뜨렸을 뿐이다.

방심한 쪽이 잘못이라는 논리는 서지만, 그런 승리는 별로 기쁘지 않다.

어차피 상대에게 원한이 있는 것도 아니고, 승패로 득과 실이 갈리는 것도 아니다.

무엇인가를 얻기 위해서 싸우는 것이 아니라, 싸워서 이기는 것 자체가 목적이다.

그렇기에 그 승부의 내용에, 이기는 방법에 집착하고 싶은 것이다.

그래서 여기에 세 번째 대결이 펼쳐졌다.

샬롯은 안나를 『싸워야 할 상대』로 여겨주고 있었다.

매서운 눈빛으로 노려봐주고 있었다.

그 사실이 기뻐서 안나는 전율했다.

안나와 샬롯과 로라는 언제나 함께 어울렸다.

그런데도 안나는 언제나 살짝 소외감을 느꼈다.

반이 달라서라는 사소한 이유가 아니라 조금 더 커다란 벽.

모험가로서의 재능의 벽이 우뚝 가로막고 서 있었다.

그 벽 위에, 지금 안나는 서 있었다.

이제부터 벽 너머에 무엇이 있는지 들여다볼 참이다.

샬롯과 진심으로 싸우는 것은 그런 의미였다.

"가슴이 두근거려……. 긴장 때문에 찢어질 것 같아……. 기뻐서 쓰러질 것 같아……. 샬롯도 로라하고 싸울 때, 이랬어?"

"네. 그래요."

"굉장해……. 드디어 1학기의 두 사람을 따라잡았어……. 이제 떨어지지 않아. 여기서 샬롯을 뛰어넘을 거야."

"어머나. 따라잡는 건 대환영이지만 추월당하는 건 못 참아요. 지난번에는 분명 제가 졌지만…… 그렇기에 때문에 오늘은 전력을 다할 거예요. 안나. 당신을 쓰러뜨리겠어요!"

샬롯의 눈동자에 안나가 비치고 있었다.

일상적인 장면이 아니라 싸움의 장에서 샬롯이 안나를 바라보고 있었다.

"고마워……. 나는 토너먼트 때 샬롯한테 진 이후로 계속 그렇게 말해줄 날을 꿈꿔 온 것 같아. 그리고, 이길 거야."

"후후…… 우후후…… 이긴다고요? 저를 이긴다고요? 그거 기대되네요. 안나의 전력을, 저에게 보여주세요!"

의외로 먼저 공격한 것은 샬롯이었다.

자존심이 강한 그녀는 상대에게 선수를 양보할 거라고 안나는 믿고 있었다.

그러나 그런 자존심을 버렸기에 **진심**인 것이리라.

"빛의 정령이여. 내 마력을 바치니. 천 개의 화살로 변해, 눈앞의 적을 쳐부숴라."

빠르게 주문을 외었다.

주문을 외는 도중에 빛의 화살이 샬롯의 눈앞에 나타나 안나를 향해 날아왔다.

주문이 진행됨에 따라 그 밀도가 높아지고, 주문이 끝날 무렵에는 빛의 벽이라고 부를 수 있을 정도의 것으로 변해 있었다.

안나는 케라우노스와 아네모이로 모든 것을 쳐서 떨어뜨렸다.

그러나 빛의 화살은 시간 벌기에 지나지 않았다.

"가속해라, 나의 오감. 강철이 되어라, 나의 육체. 그 움직임은 신뢰(迅雷). 그 일격은 철퇴(鐵槌). 힘으로 삼라만상을 격멸해라."

빛의 벽 안쪽에서 샬롯이 제2영창을 행하고 있었다.

분명 강화 마법을 자기 자신에게 걸고 있는 것이다.

그러나 자신을 강화하는 것은 모든 마법 중에서도 간단한 종류다.

마법사가 아닌 안나조차 쓸 수 있었다.

그것을 굳이 주문 영창으로 집중력을 높이면서까지 한다는 것은—.

"각오하세요!"

빛의 화살의 탄막이 걷힘과 동시에 샬롯이 화살보다 빨리 돌진해왔다.

안나는 반사적으로 검을 휘둘렀지만, 두 자루 모두 붙잡히고 말았다.

샬롯은 마법검의 칼날을 맨손으로 꽉 쥐고 있었다.

그런데도 피 한 방울 흘리지 않았다.

칼날이 피부를 뚫지 못했다.

케라우노스로는 전기를, 아네모이로는 돌풍을 쐈지만, 그럼에도 샬롯은 손을 놓지 않고 강하게 밀어붙였다.

그 충격으로 안나의 몸이 허공으로 떠올랐다.

샬롯은 더욱 속도를 높여 벽까지 단숨에 돌격했다.

"컥!"

등을 돌벽에 세게 부딪혔다. 더욱이 정면에서는 샬롯이 몸을 부딪쳐왔다.

샌드위치가 된 고통에 순간 의식이 희미해졌다.

그러나 검은 놓지 않았다.

그리고 제로 거리.

검사인 안나의 간격이다.

검은 어마어마한 힘에 의해 붙잡혀 있지만, 그렇다면 되밀치면 그뿐이다.

근육이 찢어질 정도로 전력을 다해서.

본래 타고난 근력은 안나가 압도적으로 우세했다.

그것을 강화 마법으로 역전당했지만, 다시 역전시키는 것이다.

그렇지만 안나의 마력 따위 샬롯에게는 새 발의 피나 마찬가지였다. 실제로 안나는 이 싸움이 시작되기 전부터 강화 마법을 계속 걸어둔 상태였다. 그럼에도 불구하고 밀리고 있었다.

자신의 마력으로 부족하다면 마법검의 마력을 빌리면 된다.

안나는 두 자루의 마법검 덕에 원래 적성에 없는 벼락과 바람의 공격 마법을 쓸 수 있게 됐다.

그러나 케라우노스와 아네모이의 장점은 적성치 개선뿐만이 아니다. 그 두 자루가 보유한 마력을 안나가 쓸 수 있는 것도 특징 중 하나다.

물론 방대한 마력이 있어도 능숙하게 다루지 못하면 소용없다.

벼락과 바람을 다루는 마법 외에는 스스로의 힘으로 어떻게든 해야 했다.

마법 정석치가 낮은 안나는 쓸 수 있는 마법이 한정되어 있었다.

방어 마법 적성 : 29

강화 마법 적성 : 31

이것을 제외한 마법 적성치는 아예 없는 것이나 다름없다.

단련해봤자 헛수고인 것이다.

그래서 마법 특훈은 이 두 가지에만 집중해왔다. 덕분에 조금은 제대로 쓸 수 있게 됐다.

그 간신히 형태가 잡힌 강화 마법을, 마법검의 마력으로 다시 실행하고, 근력을 폭발적으로 높였다. 동시에 방어 마법을 써서 근력에 버틸 수 있도록 골격의 강도를 높였다.

"내가, 이겨—!"

"—?!"

완전히 벽까지 밀어붙인 상태에서 되밀리고 있는 사실에, 샬롯은 경악한 표정을 지었다.

주문 영창까지 한 강화 마법을 웃돌 줄은 몰랐으리라.

서로 양쪽 팔이 막혀 있었다.

조금이라도 자세를 무너뜨리면 저울은 단숨에 기울었다. 그래서 발차기 기술도 쓸 수 없었다.

오로지 근력과 마력을 최대한 쥐어 짜내, 상대를 밀어내는 수밖에 없었다.

그런 상황 속에서 안나는 간신히 이기고 있었다.

이대로 가면 다음 일격은 먼저 가할 수 있으리라.

그렇게 생각하고, 안나가 온몸의 뼈를 삐걱거리면서 전력을 쏟아 내던 그때.

"불꽃의 정령이여. 나의 마력을 바치니. 칼날을 갖고. 계약대로 나타나라."

샬롯이 새로운 주문을 외었다.

그리고 그녀의 등 뒤에 불꽃으로 된 몸을 한 거구가 나타났다. 키는 샬롯의 두 배 정도다.

그 손에는 몸과 마찬가지로 불꽃으로 이루어진 검을 쥐고 있다.

이렇게 가까이에 있는 것만으로도 살갗이 타들어갈 것 같은 고온이다.

저 검에 베이면 혹은 박치기를 당하는 것만으로도 안나의 몸은 재로 변할 것이 틀림없다.

그러나 그것은 샬롯도 마찬가지일 터다.

그녀는 강화 마법에 상당한 마력을 쏟고 있었다. 더욱이 불꽃의 정령을 소환했다. 그렇다면 만족스러운 방어 결계를 칠 여유는 없었다.

따라서 이렇게 밀착해 있는 한, 샬롯은 정령으로 안나를 공격할 수 없다.

하지만 그런 예상은, 0.1초 만에 빗나갔다.

"윽?!"

불꽃의 정령은 그 검으로 안나를 찌르려 했다.

그러나 불꽃의 정령이 서 있는 것은 샬롯의 뒤다. 다시 말해, 샬롯까지 꿰뚫으려 하고 있었다.

머릿속이 새하얘지는 와중에도 생존 본능이 회피를 택했다.

우선은 방어 마법에 쓰고 있던 마력을 끊고, 강화 마법에 집중했다. 그리고 케라우노스에 전기를 일으켜, 자신의 근육에 흘려 넣었다. 그에 따라 한계치 이상의 힘을 발휘시켜 샬롯을 밀치고, 그 반동으로 자신도 옆으로 몸을 날렸다.

격통이 스쳤다.

전류로 인해 근육이 불타는 것처럼 아팠다. 뼈와 관절이 비명을 내질렀다.

그러나 그렇게 하지 않으면 불꽃의 검에 찔려서 안쪽과 바깥쪽에서 동시에 불탔을 것이다.

당연히, 죽으리라.

거기서 승부는 끝난다.

샬롯은 무승부를 노렸던 걸까?

아니다. 무승부를 노리는 것은 그녀의 성격으로 볼 때 있을 수 없는 일이다. 그것은 지는 것과 다름없다.

“그래……. 나는 불에 타면 죽는 수밖에 없지만…… 샬롯은 회복 마법을 쓸 수 있어.”

“후후. 눈치챘나요? 네, 맞아요. 안나는 치명상을 입으면 거기서 끝. 하지만 저는 즉사하지 않는 한 회복할 수 있어요. 이 차이는 뚜렷해요. 비열하다는 말은 하지 말아요. 그게 마법사라는 존재니까요.”

“비열하다고 안 해. 오히려…… 진심을 다해줘서 고마워.”

즉사하지 않으면 회복할 수 있다. 그렇지만 배를 불꽃의 검에 찔리고 즉사하지 않는다는 보장은 어디에도 없다.

다시 말해, 샬롯에게도 아슬아슬한 공격. 도박 같은 방법이었다.

보통은 절대로 하지 않는 행동이다.

이것이야말로 **조절하지 않는 것**과 **진심**의 차이를 여실히 나타내는 기술이다.

"그런 샬롯의 진심을, 뛰어넘을 거야……!"

"안나의 진심을 물리쳐 드리죠!"

불꽃의 정령이 분열해, 한 마리에서 다섯 마리로 숫자를 늘렸다.

크기는 로라 정도로 변했지만, 숫자가 많은 것은 위협적이다. 단순히 다섯 배의 공격이 날아온다. 그리고 협동력을 발휘하면 그 위협 정도는 다섯 배 아니라 몇 십 배까지도 뛰어오른다.

분열이나 분신(分身)이 불가능한 안나가 거기에 맞서기 위해서는 오로지 빨라지는 수밖에 없다.

강화 마법. 그리고 조금 전에 사용한 전류에 의한 근육의 강제 가동.

아프다고 약한 소리를 할 때가 아니었다.

설령 고통으로 기절한다 해도, 전류 때문에 다시 깨어날 터였다.

근섬유가 모조리 불탈 때까지 가속시켰다!

불꽃의 정령이 안나를 향해 돌진해왔다. 우선은 양쪽에서 두 마리. 그 뒤에 한 마리가 대기하고 있고, 나머지 두 마리는 뒤로 접어들려 하고 있었다.

정면의 세 마리를 케라우노스로 베고, 아네모이의 바람으로 날렸다.

이어서 등 뒤의 두 마리를, 검무를 추듯 회전해서 물리쳤다.

이로써 불꽃의 정령은 모두 물리쳤지만, 그렇다고 안심할 수는 없었다. 오히려 시간과 체력을 소비하고 말았다. 그 차이를 메우기 위해서라도 샬롯을 향해 칼날을 내리쳤다.

안나가 불꽃의 정령을 쓰러뜨리는 데 쓴 시간은 십 분의 일 초 이하다.

그 시간을 이용해 샬롯은 다음 마법을 자신의 주위에 전개하고 있었다.

"뒤틀려라."

평소라면 알아듣지 못할 만큼 빠른 중얼거림이다.

오감을 곤두세운 안나이기에 간신히 듣는 데 성공했다.

그것은 짧지만 주문 영창이었다.

"쯧!"

샬롯을 향해 내리친 케라우노스의 칼날이 휙 구부러져, 자신의 얼굴을 향해 뻗어왔다.

안나는 상반신을 비틀어 간신히 피했다.

상당히 괴로운 자세지만 그 상태에서 아네모이로 다음 참격을 날렸다.

그러나, 그것도 안나에게 되돌아왔다.

뒤로 날아 피하는 수밖에 없었다.

모처럼 불꽃의 정령을 쓰러뜨리고 좁힌 거리가, 크게 벌어졌다.

그렇다 해도, 눈앞의 상대를 향해 내리친 칼날이 자신을 향해 돌아오는 것은 의미를 알 수 없는 현상이다. 너무나도 비현실적이다.

공간이 뒤틀렸다고 생각하는 수밖에 없었다. 그렇다, 뒤틀린 것이다.

차원 창고를 연습하다가 우연히 샬롯이 발명해버린 그녀의 오리지널 기술이다.

"후후후…… 고저스 샬롯의 화려한 디멘션 베리어예요."

"굉장해…… 이런 상황에서도 그 부끄러운 기술 명을 풀로 말하다니……!"

안나가 경악하자, 싸움을 지켜보고 있던 로라 일행도 크게 외쳤다.

"어떤 순간에도 자신을 관철하는 샬롯의 자세, 멋져요!"

"작명 센스는 둘째 치고, 그 고집이 주문과 비슷한 효과를 낳아서 집중력을 높인 거야. 샬롯, 자기 스타일을 밀고 나가는 거야! 설령 주위에서 촌스럽다고 할지라도!"

"삐—!"

"구경꾼들이 시끄러워요!"

샬롯에게 혼이 난 로라와 대현자는 「무서워……」 하고 서로 끌어안고 떨었다.

구경꾼들의 야유를 물리친 샬롯은 다시 안나와 마주했다.

"자, 안나. 지금 걸로 알았죠? 저의 디멘션 베리어는 이전보다 세련돼졌어요. 이제 안나의 참격이 저에게 닿는 일은 없어요. 그뿐 아니라…… 검을 내리치면, 안나는 자기 자신을 공격하게 돼요!"

"솔직히 놀랐어. 전보다 반응이 훨씬 빨라졌어……. 하지만, 샬롯이 참격을 인식한 뒤에 공간을 뒤틀었다는 것에는 변함이 없어. 그러니까, 샬롯의 반사 신경보다 빨리 공격하면, 내가 이겨."

"말하는 건 쉽고 실천하는 건 어려워요. 마법사의 반사 신경이 검사보다 떨어진다고 생각하지 마세요."

"그렇게는 생각 안 해. 하지만, 내가 샬롯보다 못하다고는 생각 안 해."

"그렇다면, 승부예요. 슬슬 결말을 지어요."

"바라던 바야."

안나는 마법검을 쥔 손에 다시 힘을 넣었다.

혼자 힘으로는 결코 샬롯에게 닿을 수 없다.

케라우노스와 아네모이의 마력과 속성을 빌리지 않으면 절대로 이길 수 없다.

—부탁해. 나에게 힘을 빌려줘.

그렇게 빌자, 두 자루의 마법검이 도신을 부르르 떨며 대답했다.

—부우우웅.

—부우우웅.

굳이 부탁할 필요 없어.
마스터로 인정한 자한테 보탬이 되는 게 검의 기쁨이야.

그녀들은 그렇게 말해줬다.
믿음에 보답하기 위해서라도 안나는 걸음을 내디뎠다.
건곤일척의 마음을 칼날에 실었다.
그 의지라고, 마법검의 마음이 전해져왔다.
"간다!"
먼저 바닥을 차고, 이어서 천장을 찼다. 오른쪽 벽을 차고, 왼쪽 벽으로.
최고 속도를 냈다. 그러나 최단 거리는 노리지 않았다.
종횡무진하는 입체 궤도로 샬롯의 집중력에 부하를 걸고, 더욱이 방을 구축하는 석재의 파편을 흩날려 시야를 어지럽혔다.
물론, 이 정도 움직임이면 안나의 몸에 가해지는 부담도 상당하지만, 그것은 인내심 대결이다.
온갖 수단을 써서 샬롯의 동체 시력을 뛰어넘어야 한다.
그러지 않으면 안나의 참격은 그녀에게 닿지 않는다. 닿기만 하면 혼신의 일격으로 결판 지어주리라.
일도양단해 주는 것이다.

오직 샬롯을 쓰러뜨리는 것에만 머리를 썼다. 모든 사고를 샬롯에게 집중했다.

그녀 말고는 아무것도 보이지 않았다.

진심이면서 아슬아슬한 대결이란 이다지도 진하고 짙은 것일까.

안나는 난생처음 알았다.

상대를 때려눕히려 하고 있는데 어째서일까. 점점 좋아졌다.

나는 너를 보고 있다.

너도 나를 보고 있다.

서로의 힘과 기술을 응시하며, 뛰어넘어주지, 허를 찔러주지 하며 전심전력을 다하고 있다.

받아 낼게. 그러니까 받아 내줘.

강해진 자신의 모습을 그 눈에 새겨달라고, 안나는 간절히 생각했다.

아직 더 싸우고 싶어. 끝내고 싶지 않아.

하지만 이기는 건, 나야—.

※

앞과 뒤와 위에서 동시에 안나의 검이 날아들었다.

그런 착각을 일으킬 정도로 그녀의 움직임은 빠르고 또 불규칙

적이었다.

몸의 내구성을 무시하고 강화 마법을 쓰고 있었다. 더욱이 전류로 근육을 강제로 움직이고 있었다.

마법검의 도움이 있다고는 해도 검사인 안나가 이 정도로 장시간에 걸쳐 방대한 마력을 계속 제어하고 있는 것은 놀랄 만했다. 그보다, 믿기 어렵다. 지나치게 집중한 탓에 뇌가 끓어오르는 것은 아닐까.

육체에 대한 부담은 한층 더 무거워졌다. 물론, 전기 공격으로 근육을 한계치 이상으로 혹사한다는 발상은 샬롯 안에도 있었다.

그러나 그것은 한순간뿐인 기술이리라. 평소라면 피할 수 없는 공격을 급히 피하거나, 다시없을 기회를 노리고 최대의 일격을 가하는 그런 방법을 써야 한다.

그러지 않으면 고통 때문에 싸울 상황이 아니고, 자기가 자신을 공격하는 것이나 마찬가지라서 자멸할 위험이 따른다.

그러나 안나는 벌써 십 초 넘게 지금의 전투법을 유지하고 있고, 그 사이에 수백 개의 참격을 날려왔다.

샬롯은 공간을 비틀어 그 모든 것을 튕겨 냈다. 안나는 그 모든 것을 피하고, 다음 참격을 내리치고, 베고, 찔렀다.

그것들은 끝없이 속도를 높이고 높여, 검이 백 개로 보이고, 세계가 만화경이 되었다. 진정으로, 샬롯에게는 그렇게 보였다.

참격, 참격, 참격, 참격, 참격, 참격, 베기, 베기, 베기, 베기, 베기, 베기, 찌르기, 찌르기, 찌르기, 찌르기, 찌르기, 찌르기.

참격, 참격, 참격.

베기, 베기, 베기.

찌르기, 찌르기, 찌르기.

참(斬)참참참참참참참치(薙)치치치참참참참참참참참참참참참돌(突)돌참참참참참치치치참참참참참참참돌돌돌돌참참참참참참참치치참참참참참참참참참참참자(刺)자자자자자자자자자자자참참참참참참참참참치참치참치참치참치참참참참참참참참참참참참참참참참참참참참참참참참참차아아암!

이미 분간하는 것 따위 불가능했다.

그러나 포기하는 것도 불가능했다.

공간 왜곡에 의한 반사는 이미 따라잡을 수 없어졌고, 피부를 방어 결계로 덮음으로써 튕겨 낼 수 없는 참격을 튕겨 냈다. 그러나 일격마다 방어 결계가 단숨에 깎여 나가, 그것을 보강하기 위해서 마력이 도려내지듯이 줄어갔다.

샬롯은 궁지에 몰리고 있었다.

그러나 안나는 자멸하고 있었다.

한계를 세 바퀴는 넘어선 듯한 움직임으로, 그녀의 몸은 이미 너덜너덜해져 있었다.

스스로의 힘을 버티지 못하고 뼈가 꺾어진 것은 물론이고, 공기와의 마찰열로 인해 살갗이 타오르고 있었다.

그 뜨거운 마음에 응답하지 않고서야 어찌 샬롯 가자드이겠는가.

잘 벼려진 안나의 칼날은 이미 예술의 경지다.

모든 것을 지켜보자. 빠짐없이 가려내자.

방어 결계는 이미 멈췄다. 디멘션 베리어에 온 신경과 온 마력을 쏟아부었다.

한 칼도 남김없이 튕겨 낼 것이다.

그것이야말로 안나의 연구에 대한 예의였다.

샬롯에게 안나는 친한 친구다. 좋아하는 사람이다.

그러나 경쟁자는 아니었다.

모르는 사이에 깔보고 있었다.

분명 그것은 로라도 마찬가지리라.

그런 두 사람의 태도를, 안나는 당연히 눈치채고 있었다.

그래서 고대 문명의 마법검을 찾아내고, 길들이고, 잘 다루어서.

이렇게 샬롯의 목을 베기 위해 돌진해왔다.

지금, 샬롯과 안나는 같은 영역에 있었다.

지금은, 두 사람밖에 존재하지 않았다. 다른 것은 보이지 않았다. 들리지 않았다.

상대를 때려눕히려 하고 있는데, 어째서일까. 점점 좋아졌다.

서로의 힘과 기술을 응시하며, 뛰어넘어주지, 허를 찔러주지 하며 전심전력을 다하고 있다.

받아 낼게. 그러니까 받아 내줘.

강해진 상대의 모습을 자기 눈에 새기고 싶다고, 샬롯은 간절히 생각했다.

아직 더 싸우고 싶어요. 끝내고 싶지 않아요.

하지만 이기는 건, 저예요—.

※

그리고 로라와 대현자, 하쿠가 지켜보는 가운데.

마침내 결판을 지을 때가 왔다.

과도하게 집중한 탓에 눈과 코에서 피를 흘리는 샬롯은 안나의 참격을 단 한 번 튕겨 내지 못하고 케라우노스에 목구멍을 찔렸다.

동시에 안나는 한계를 넘은 움직임으로 인해 두 다리가 찢어지고, 튕겨 나온 아네모이를 피하지 못하고 심장을 찔렸다.

따라서 무승부였다.

두 사람의 몸은 관으로 덮이고, 그 후로 움직이지 않았다.

이곳은 꿈의 세계이므로 죽어도 곧바로 되살아날 텐데 어떻게 된 일일까. 불안해진 로라와 대현자는 두 개의 관 뚜껑을 열었다.

그러자 두 사람 모두 관 속에서 새근거리며 잠들어 있었다.

"꿈의 세계에서 자다니, 학장님 같아요."

"후후. 어지간히 피곤했나 봐. 이대로 아침까지 자게 두자. 오랜만에 굉장한 싸움을 봐서…… 왠지 흥분해버렸어."

"저도요! 다음에는 저도 섞여서 삼파전을 해보고 싶어요!"

"그 기세로 강해져서 빨리 내 영역으로 오렴. 다음의 다음, 또 그 다음번 정도에는 사파전을 할 수 있었으면 좋겠구나."

"네! 꼭 해요!"

"어머. 나하고 진지하게 싸우려 하다니, 백 년은 일러."

"너, 너무하세요! 학장님이 먼저 말씀하셨으면서!"

"농담이야. 백 년씩 못 기다려. 아아, 정말 기대돼……."

대현자는 먼 미래를 생각하는 듯한 얼굴을 하고 있었다.

그 목소리와 표정에는 선망이 섞여 있는 것처럼 보였다.

어쩌면 샬롯과 안나의 싸움이 부러웠던 걸지도 모른다.

로라는 어쩐지 그런 생각이 들었다.

제6장 마법 소녀로 변신해요

"아…… 피곤해요…… 머리가 멍해요……."

"나도…… 전혀 피로가 풀리지 않아……."

꿈속에서 진검승부를 펼친 다음 날 방과 후.

학교 부지 내에 있는 풀밭에서 샬롯과 안나는 멍하니 누워 있었다.

로라도 같이 누워서 하늘을 올려다보고 있었다.

이미 12월이지만, 오늘은 해님이 떠 있어서 따뜻했다.

따뜻한 것은 좋은 거다.

하지만 눈이 내리면 눈싸움을 할 수 있어서 그건 그것대로 기대됐다.

"샬롯, 수업 시간에 꾸벅꾸벅 졸아서 에밀리아 선생님한테 야단맞았죠? 안나는 괜찮았어요?"

"숙면하는 바람에 맞았어."

"그건…… 재난이네요."

싸운 것은 꿈속이고, 실제로는 잠들어 있었으니 피로는 남지 않을 것 같기도 했다.

실제로 두 사람은 신체적으로는 쌩쌩해 보였다.

그러나 정신적인 피로는 방과 후가 되어서도 풀리지 않고, 보는 바와 같은 상황이다.

"삐, 삐, 삐."

그렇게 드러누워 있는 로라 일행 세 명의 배 위에서 하쿠는 폴짝폴짝 반복 옆 뛰기 같은 동작을 하고 있었다.

무슨 의도인지는 몰라도 운동하는 것은 좋은 거다.

"하쿠가 배를 공격해……."

"왠지 간지러워요……."

"하쿠. 운동하는 건 좋지만 남의 배를 트램펄린처럼 쓰는 건 곤란해요."

"삐―?"

하쿠는 알았는지 몰랐는지 모호한 목소리로 울고는 로라의 뺨에 코끝을 비벼왔다.

반칙적인 귀여움이다. 로라는 하쿠를 꼭 끌어안았다.

"하쿠를 끌어안고 있는 로라가 반칙적으로 귀여워요오……."

"동감이야. 우리도 로라를 끌어안는 수밖에 없어."

"어, 어째서 그런 결론인 거예요?! 그보다, 두 사람 모두 기운이 넘치네요."

"로라를 보고 있었더니 쌩쌩해졌어요."

"우와. 저는 굉장한 효능을 가졌네요!"

"뭐, 수업 중에 자서 피로가 풀리기 시작한 것도 있지만……."

"맞아요."

안나와 샬롯이 일어났기에 로라도 하쿠를 안은 채로 벌떡 몸을 일으켰다.

"자. 쌩쌩해졌으니 어떻게 할까요? 평소처럼 훈련할까요? 아니면 놀러 갈까요?"

"훈련도 노는 것도 좋지만, 작전 회의를 해야 할 것 같아."

"작전 회의요? 흠, 무슨 작전 회인데요?"

"앞으로, 어떻게 정체를 숨기고 강력한 몬스터하고 싸울지에 대한 작전 회의야."

"안나?! 안 돼요. 얌전히 지내기로 서로 약속했잖아요. 적어도 올해까지는요!"

"그래. 올해까지는. 하지만 이미 12월이니까 내년 계획을 세워야 해."

"유비무환이에요."

"그렇군요. 배웠어요!"

로라는 올해까지는 얌전히 지내는 것밖에 생각하지 않았다.

교칙을 어기고 싶어지면 그때 어기는 법을 생각하면 된다고 생각했다.

그러나 두 연장자는 제대로 미래의 일까지 머릿속에 넣어두고 있었다.

반드시 본받아 가고 싶었다.

"그래서, 안나는 정체를 숨길 방법이 있나요?"

"없으니까 다 같이 생각해보자."

"으음. 남한테 기대는 건 바람직하지 않아요."

"모를 때는 솔직하게 모른다고 말하는 것도 용기야."

"우와. 어른스러워요! 제 생각이 짧았어요!"

"로라. 안나한테 속고 있어요."

"딱히 속이는 게 아니야. 정말이야."

안나의 말투가 어색했기에 로라는 그제야 의심을 품었다.

그러나 안나의 의도가 무엇이든 『모를 때는 솔직하게 모른다고 말하는』 것은 좋은 생각이므로 마음속에 잘 새겨두기로 했다.

"우선, 인식 저해 마법은 너무 위험하니까 제외예요."

"당연해요. 그리고 파자마레인저와 비밀결사 종이봉투도 정체를 숨길 수 없어요. 선글라스마저 소용없었어요……."

"선글라스는 시험하기 전부터 알고 있었어."

"세상 사람들은 통찰력이 지나치게 예리한 것 같아요. 그렇죠? 하쿠."

"삐―."

로라의 품에서 하쿠는 굼실거리며 대꾸했다.

그것이 뜻을 알고서 하는 대답인지는 알 수 없다.

그러나 반응해준 것만으로도 로라는 만족했다.

그 뒤에는 하쿠의 울음소리를 머릿속에서 변환해「맞아, 맞아」라는 동의의 말로 바꾸면 그만이다.

"생각해도 아무것도 떠오르지 않을 때는 선인의 지혜를 빌리는 수밖에 없어요. 그런 고로, 도서실에 가요."

"또 위험한 마법을 발견하면 어떡해?"

"지난번 일을 교훈 삼아, 이번엔 마법을 제외한 수단을 찾아봐요!"

그리하여 로라 일행은 다시 도서실에 왔다.

오늘도 흑발에 안경을 낀 도서 위원장은 계속 책을 읽고 있었다. 마치 장식품 같다.

"역시 정체를 숨기는 데는 변장이겠죠. 파자마레인저, 비밀결사 종이봉투에 이은 제3의 변장을 생각하는 거예요."

"그렇다면 귀여운 게 좋아요."

"로라가 귀여운 복장을 해준다면 바라던 바야."

어쩐지 샬롯과 안나는 논점이 빗나간 말을 하고 있는 듯한 기분이 들었다.

그러나 로라도 귀여운 것은 좋아하므로 딱히 이의를 제기하지 않았다.

"그럼, 흩어져서 참고가 될 만한 책을 찾아봐요."

"우리는 지난번에도 변장술에 관한 책을 찾았었으니 쉽게 찾을 수 있어요."

"……그러고 보니 그랬었네요……. 제가 마도서 코너에서 열심히 책을 찾고 있었을 때, 샬롯하고 안나는 저를 놀리려고 변장술 책을 찾고 있었던가요."

"우후후. 그런 것도 있었어요."

"로라가 귀여운 게 잘못이야. 그리고 결국 변장하려고 하고 있으니까 우리가 옳았다고도 할 수 있어."

"음……? 잘은 모르겠지만 속고 있다는 건 알겠어요."

"그렇지 않아. 자, 흩어져서 찾자."

"로라한테 어울리는 의상을 찾아내겠어요."

로라는 석연치 않음을 느끼면서도 하쿠를 머리에 태우고 도서실을 둘러보기로 했다.

"삐—."

한 책장 앞에서 하쿠가 삐 하고 울었다.

그것은 지난번에 환혹계 마법 대백과를 발견했던 책장이었다.

"하쿠. 마법으로 정체를 숨기는 건 지난번으로 넌더리가 났으니 그 책장은 살펴보지 않아도 돼요."

"삐이!"

하쿠는 로라가 말리는 것도 듣지 않고, 파닥파닥 날아서 책장 위쪽으로 가버렸다.

그리고 앞발로 책 한 권을 안고 돌아왔다.

"이건…… 『오늘부터 가능한 마법 소녀』! 지난번에 하쿠가 잘못 집어 온 책이에요."

"삐."

"네? 혹시 잘못 가져온 게 아니라, 이 책이 마음에 든 거예요?"

"삐, 삐—."

그렇게 울면서, 하쿠는 코를 킁킁거렸다.

"확실히 책은 독특한 냄새가 나지만…… 하쿠는 이 책의 냄새가 마음에 든 거군요."

"삐—."

하쿠는 능숙하게 책을 펼치고, 페이지에 얼굴을 대고 깊이 숨을 들이쉬었다.

무척 행복해 보이는 얼굴이다.

그 펼친 페이지에 그려진 그림을 보고, 로라는 머릿속이 번쩍 했다.

그래. 마법 소녀야, 라고.

※

마법 소녀란, 마법을 쓰는 소녀다.

그런 설명이라면 로라도 샬롯도 마법 소녀가 되어버리므로 좀 더 세세한 정의가 필요하다.

로라가 마법 소녀를 처음 안 것은 옛날에 읽은 그림책에서다.

한 마을에 살고 있던 평범한 소녀가 고대 문명이 남긴 지팡이의 선택을 받고, 마법 소녀로 변신해서 악과 싸우는 그림책이었다.

그렇다. 변신이다. 이것이야말로 마법 소녀의 정의리라.

그림책 말고도, 소설이나 연극 따위에도 마법 소녀는 등장한다.

그 모든 마법 소녀들은 일련의 방법으로 변신했다. 그것도 귀여운 의상으로.

"그렇군요. 마법 소녀예요. 그건 생각하지 못한 부분이에요."

"마법 소녀 로라…… 귀여울 게 틀림없어."

"저뿐만 아니라 안나하고 샬롯도 마법 소녀가 되는 거예요!"

도서실 책상에서 『오늘부터 가능한 마법 소녀』를 펼치고, 로라 일행은 다음 변장은 이거야, 라고 내부 결정을 내렸다.

"알아. 의외로 재미있을 것 같아."

"후후후. 저는 고저스한 마법 소녀로 변신할래요."

모두들 의욕이 넘쳤다.

"삐—."

게다가 마법 소녀와 함께하는 신비로운 소동물도 제대로 있었다.

이야기에 등장하는 신비로운 소동물은 대부분 고대 문명이 만들었다는 설정이지만, 하쿠는 고대 문명보다 더욱 예전부터 존재해 온 신수다.

신비로운 소동물로서의 자격은 충분했다.

"그런데 문제가 있어. 이 책은 여러 이야기 속에 나오는 마법 소녀를 소개하고 있을 뿐이지, 마법 소녀로 변신하는 방법이 나와 있는 게 아니야. 그러니까 의상은 우리끼리 준비해야 해."

"괜찮아요, 안나. 이럴 때는 샬롯의 본가에서 의상을 제공해주는 패턴이에요! 자, 샬롯. 능력을 보여줄 때예요!"

축제 때 샬롯은 본가에 남아도는 메이드복을 대량으로 제공해 줬었다.

이번에도 그런 것을 기대했는데—.

"아, 아무리 가자드 가문이라도 마법 소녀 의상은 없어요……!"

"네?! 예상이 빗나가버렸어요…… 어떡하죠?"

"로라. 아까 나한테 남한테 기대는 건 바람직하지 않다고 했던 것 같은데."

"기, 기분 탓이에요……!"

아픈 곳을 찔린 로라는 시선을 피하며 얼버무렸다.

"로라는 거짓말쟁이. 나빠. 에잇, 에잇."

안나는 로라의 뺨을 손가락으로 꼬집었다.

"히이이…… 잡아당기지 마세요오오……."

"그래요, 안나. 로라의 뺨은 제 거예요!"

"……정말! 그런 대화는 질렸어요! 그런 것보다, 마법 소녀 의상을 어떻게 할지 진지하게 생각해 봐요!"

로라는 머리를 흔들어 안나의 손을 뿌리치고 이야기를 본론으로 되돌렸다.

"……마법으로 교복을 마법 소녀 의상으로 바꿀 수는 없어?"

"써본 적 없는 마법은 쓰지 않아요! 전과 같은 말씽은 지긋지긋해요!"

"애초에 옷을 바꿀 수 있는 마법을 익힌다 하더라도 먼저 디자인을 정해야 해요. 아니…… 디자인은 마법을 쓰지 않더라도 필요해요! 그러니 이 샬롯 가자드가 여러분의 의상 디자인을—."

"거부할게요!"

"응. 거부야."

"어째서요?!"

거부당한 샬롯은 비명을 질렀다.

그 순간, 도서실에 있던 다른 학생들이 이쪽을 째려봤다.

그러자 아무리 샬롯이라도 움츠러들어서 얌전해졌다.

“왜, 의상 디자인은 마법 소녀에게 가장 중요한 부분이잖아요. 좀 더 잘하는 사람한테 부탁해야 해요. 절대로 샬롯의 감각이 괴멸적이라고 생각하는 게 아니에요.”

“그래. 샬롯은 멋쟁이니까. 그 센스는 믿어.”

그렇게 로라와 안나가 지지해주자,

“어머, 멋쟁이라니…… 부끄러워요요.”

샬롯은 쉽게 기분을 풀고 기쁘다는 듯이 얼굴을 붉혔다.

너무 솔직해서 걱정될 만큼 단순한 사고 패턴을 갖고 있다.

그러나 샬롯이 멋쟁이인 것은 사실이었다. 그 부분은 거짓말이 아니었다.

그렇지만 원래 있던 옷에 조화시키는 것과 처음부터 디자인하는 것은 요구되는 기술이 완전히 다르다.

로라도 안나도 언젠가 샬롯이 그린 그림을 본 적이 있었다.

당황스러울 정도로 형편없었다.

물론 그림과 디자인도 별개의 기술이지만 설령 샬롯에게 디자인 센스가 있다손 치더라도, 그것을 표현할 수단이 없다면 소용이 없다.

어쨌든 로라는 적어도 올해까지는 평화롭게 지낼 작정이었다.

샬롯에게 의상 디자인을 맡기는 도박은 하고 싶지 않았다.

그렇다면 누구에게 부탁할까.

미사키는 그림에 소질이 있었다. 옷 디자인도 할 수 있을까?

아니면 무엇이든 할 수 있을 것 같은 대현자?

돈을 모아서 전문가를 고용해야 할까?

"……아, 그래요! 엄마한테 부탁하면 돼요!"

여러 가지로 생각한 끝에, 로라는 가장 적절한 결론을 이끌어냈다.

"엄마라면, 로라의 어머님이요?"

"네! 엄마는 재봉이 특기라서 제 옷도 잔뜩 만들어줬어요. 그러니까 디자인 센스도 있을 거예요!"

"흠. 그건 기대해도 되겠어."

"로라의 귀여운 사복은 도라 아주머니가 만드신 거예요? 그런 거면 분명 마법 소녀다운 하늘하늘한 의상도 만드실 수 있을 거예요오~~!"

"마침 내일은 주말이에요. 지금 바로 엄마한테 부탁하러 가요!"

※

로라의 고향 마을 밀레베룬은 왕도에서는 마차로 꼬박 하루가 걸린다.

그러나 로라 일행은 방과 후에 살짝 다녀올까 하는 감각으로 슝 하고 날아갈 수 있다.

"누가 제일 빨리 도착하는지 시합해요!"

왕도를 날아올라, 상공에 둥실둥실 떠서 샬롯이 또 그런 제안을 했다.

"아아…… 샬롯, 지난번에 그렇게 하다가 추락했잖아요. 엄마가 받아주지 않았다면 지금쯤 샬롯은 호수 바닥에서 고기밥이 됐을 거예요."

"윽…… 오늘은 기절하지 않는 범위 내에서 노력할게요. 정말이에요!"

"음…… 그렇게까지 말한다면 믿을게요……. 안나도 괜찮아요?"

"괜찮아. 오히려 시합하고 싶어. 아네모이로 바람을 조종하는 연습을 좀 더 하고 싶거든."

안나는 마법검 아네모이에 바람을 일으켜, 로라, 샬롯과 마찬가지로 날고 있었다.

이미 충분히 자유자재로 날고 있는 것처럼 보이지만 조금 더 능숙해지고 싶은 모양이다.

"의욕이 넘치네요. 안나! 그럼, 하쿠는 떨어지지 않게 단단히 잡고 있으세요."

"삐!"

하쿠는 네 개의 다리로 로라의 머리카락을 꼭 붙잡았다.

세 사람은 일렬로 나란히 서서 밀레베룬이 있는 방향을 바라봤다.

"그럼, 제자리에…… 출발!"

로라의 신호에 샬롯과 안나가 동시에 앞으로 나갔다. 로라는 직접 신호를 내렸는지라 배려해서 한 박자 늦게 출발했다.

애초에 아무리 샬롯과 안나가 강해졌다고 해도 단순한 속도 대결에서 로라가 질 리가 없었다.

한동안 뒤에서 지켜보다가 마지막에 치고 나가서 이기면 그만이다.

"크으으으, 안나. 상당한 속도예요……. 하지만 지지 않아요!"

"샬롯, 무리하지 마. 지난번에도 그렇게 『크으으으』라고 하고 마력이 바닥나서 떨어졌어."

"오늘의 『크으으으』는 조절된 『크으으으』예요!"

"그렇구나."

보고 있자니, 아무래도 안나가 우세해 보였다.

샬롯이 이를 악물고 날고 있는 반면, 안나는 태연한 얼굴이었다.

하지만 아무리 아네모이로 바람 마법을 쓸 수 있게 됐다 해도, 샬롯과 같은 속도로 날면서 저리도 여유로울 수 있는 것일까.

그렇게 로라가 의아하게 생각했더니, 갑자기 안나가 휘청했다.

그리고 그녀를 뒤덮고 있던 바람이 사라지고, 속도와 고도를 떨어뜨렸다.

“안나……? 앗, 안나, 설마 정신을 잃은 거예요……?!”

“갑자기 무슨 일이에요?!”

“사실은 무리해서 샬롯을 따라갔던 걸까요? 아니, 지금은 그런 걸 따질 때가 아니에요! 쫓아가서 받아야 해요!”

“안나, 구해줄게요!”

로라와 샬롯도 고도를 낮춰 안나를 쫓아갔다.

그러나 이대로라면 따라잡을 수 없었다.

하쿠를 샬롯에게 맡기고, 단숨에 속도를 높이는 수밖에 없었다.

아니, 안 된다. 바로 근처에 마을이 있었다.

여기서 로라가 속도를 내면, 충격파로 지상에 피해를 입힐 것이다.

하지만 내버려두면 안나가 죽고 만다…….

“아, 저 마을은, 제 고향이에요…….”

안나는 밀레베룬을 향해 추락해갔다.

그것도 명백히 로라의 집 근처로 향하고 있었다.

그리고 자세히 보니, 집 앞에서 로라의 어머니인 도라가 한창 빨래를 걷고 있었다.

“엄마아아! 안나를 받아줘어어어!”

“무리예요, 로라! 목소리가 들리는 것보다 안나가 먼저 떨어질 거예요!”

"그, 그럼, 목소리가 아니라 검으로 말할게요!"

로라는 허리에 찬 검을 뽑아, 어머니의 발밑을 향해 던졌다.

음속을 훨씬 뛰어넘는 속도로 검은 날아갔다.

그러나 검의 질량이 적어서 지상을 파괴할 정도의 충격파는 발생하지 않을 것이다.

검이 떨어지는 것으로 도라는 하늘의 이변을 눈치채줄 터였다.

※

"훗훙, 후후훙♪"

도라 에드몬즈는 콧노래를 흥얼거리면서 집 앞에 널어둔 빨래를 걷고 있었다.

하늘은 아름다운 노을빛으로 물들어 있었다.

그 모습이 눈앞에 펼쳐진 호수에 비쳐, 숨을 삼킬 정도로 아름다웠다.

모험가 제일선에서 은퇴한 뒤부터 계속 이 마을에 살고 있지만 자연은 매일 다른 얼굴을 보여주어 결코 질리는 법이 없었다.

물론 언젠가 다시 전장에 나가고 싶은 생각도 있지만…… 적어도 로라가 학교를 졸업할 때까지는 당분간은 평화로운 생활을 즐길 예정이다.

"로라는 지금쯤 뭘 하고 있으려나? 또 훌쩍 친구들을 데리고 놀러 와주면 좋을 텐데."

그렇게 도라가 중얼거린 순간.

상공에서 험악한 낌새가 날아들었다.

"—?!"

도라가 올려다봄과 동시에 발밑에 엄천난 속도로 검이 꽂혔다.

땅에 깊숙이 박혀, 흙먼지를 피우며 작은 구멍을 냈다.

그것만으로도 사건이지만, 더욱 놀랍게도 검에 이어 여자아이도 떨어지고 있었다.

붉은 머리카락을 가진 소녀.

로라의 친구인 안나라는 아이였다.

"어어?"

예기치 못한 사태에 도라는 당황했지만 몸은 저절로 안나를 받을 자세를 취하고 있었다.

전에도 비슷한 일이 있었다. 그때는 샬롯이 떨어졌지만…… 요즘 아이들 사이에서는 하늘에서 떨어지는 것이 유행인 걸까.

"기합의 진지 모드!"

도라는 기합을 넣고 온몸에서 오라를 뿜어냈다.

그리고 안나를 가슴과 팔로 받았다!

반동으로 뒤로 밀려났지만 문제없었다

한때는 베헤모스의 박치기를 정면으로 막은 적도 있었다.

그것에 비하면 하늘에서 음속보다 약간 느린 속도로 떨어진 소녀를 받아 내는 것쯤은 일도 아니었다.

"후!"

하고 기합을 넣으며 일부로 뒤로 쓰러져서 힘을 흘려보냈다. 그대로 안나를 던져, 호수에 첨벙 하고 떨어뜨렸다.

"엄마아아!"

때마침, 하늘에서 로라가 내려왔다. 머리 위에는 하얀 드래곤처럼 생긴 신수 하쿠가 매달려 있었다. 샬롯도 있었다.

"로라, 어서 오렴! 하쿠하고 샬롯도 어서 와!"

"다녀왔습니다."

"삐—."

"실례하겠습니다."

"그런데…… 안나는 어쩌다 떨어진 거야? 둘 중 누군가의 등에서 떨어진 거야?"

"그게 아니야, 엄마. 안나는 마법검 덕분에 스스로 날 수 있게 됐는데—."

로라가 설명하는 도중에 호수에서 안나가 스스로 올라왔다.

온몸을 덜덜덜 떨고 있었다.

"추워……. 추워……."

12월의 호수에 처박혔으니 그건 추우리라.

“미안해, 안나……. 하지만…… 그렇게라도 하지 않으면 기세를 죽일 수가 없었어.”

“그건 알아…… 엣치!”

안나는 요란하게 재채기를 하고는 콧물을 대롱 매달았다.

“큰일이에요! 빨리 안나를 따뜻하게 해줘야 해요!”

“갈아입을 옷도 필요해! 엄마, 뭔가 준비해줘!”

“알았어. 난로에 불 피워뒀으니까 우선 집으로 들어가자.”

“신세 지겠습니다…… 엣치!”

안나는 감사 인사와 재채기를 동시에 하면서 로라와 샬롯의 부축을 받으며 집으로 들어갔다.

도라는 침실로 가서 장롱에서 자신의 잠옷을 꺼내왔다. 상당히 사이즈가 다르지만 교복이 마를 때까지는 참고 입어주는 수밖에 없었다.

거실로 돌아오자 난로 앞에 세 소녀가 앉아 있었다.

흐뭇한 광경이다.

오랜만에 로라가 돌아온 것이 기뻤고, 그 친구들도 도라는 마음에 들었다.

딸이 늘어난 듯한 느낌이었다.

“……그런데, 방이 덮지 않니?”

난로에 장작을 땐 것은 도라지만 그렇다 해도 온도가 너무 높았다.

한여름과 별반 차이가 없었다.

"아, 엄마. 안나가 감기에 걸리지 않게 마법으로 살짝 덥게 했어!"

"엣치…… 폐를 끼쳤습니다…… 엣취!"

안나는 알몸에 목욕 타월만 감고서 재채기를 했다.

"안나가 불쌍해요……. 제가 따뜻하게 해드릴게요!"

샬롯은 안나를 꼭 끌어안았다.

"평소라면 귀찮다고 했겠지만, 지금만큼은 고마워. 따뜻해."

"아. 샬롯만 그러는 건 치사해요. 저도 안나를 따뜻하게 해줄래요. 꼬옥."

"삐—."

로라는 어쩐지 경쟁심을 불태우며 똑같이 안나를 끌어안았다. 그러자 하쿠도 따라 하고 싶어졌는지 안나의 머리 위로 이동했다.

"따뜻해, 따뜻해. 다들 고마워."

어느새 안나의 재채기와 콧물은 멈춰 있었다.

그러나 계속 수건 한 장만 감고 있다가는 정말로 감기에 걸리고 만다.

"안나. 좀 커서 미안하지만 이걸로 갈아입어. 그리고 교복을 줄래? 널어둘게."

© 2018 Riichu

"여러모로 감사합니다."

잠옷을 건네받은 안나는 머리부터 폭 뒤집어썼다.

그것은 원피스형 잠옷이었는데, 소매도 옷자락도 넉넉해서 바닥을 질질 쓸고 다녀야 했다.

"생각보다 헐렁하지만 귀여우니까 이건 이것대로 괜찮네."

"역시 로라의 어머님. 격하게 동의해요!"

"어머나. 샬롯, 취향이 훌륭하구나."

도라는 샬롯과 하이파이브를 하고는 안나의 교복을 창가에 널었다.

그리고 마당에 널어뒀던 시트는…… 조금 전에 하늘에서 떨어진 검이 피운 먼지로 더러워지고 말았다. 내일 다시 빨아야 하리라.

그 검은 지금 로라의 허리에 매달려 있었다.

범인은 딸이었다.

내일 아침에 빨래하는 것을 돕게 하자고 도라는 생각했다.

"그런데 엄마. 아빠는? 몬스터 사냥을 갔어?"

"응. 딱히 강한 몬스터가 나온 건 아닌데, 이 동네에는 모험가가 나하고 아빠밖에 없으니까. 정기적으로 순찰하지 않으면 모르는 사이에 몬스터가 번식해버려."

"그러게. 왕도는 모험가 길드가 있어서 모험가가 많지만…… 이 마을에도 길드를 만들면 좋을 텐데."

"음…… 실은 나하고 아빠가 이사 오기 전에는 작은 길드가 있었는데…… 망해버렸어."

"어째서?"

"그거야, 아빠가 몬스터를 닥치는 대로 잡는 바람에 일이 없어진 모험가들이 다른 마을로 가버렸으니까."

"아, 그렇구나……. 어라? 그럼 아빠하고 엄마는 몬스터를 잡고 누구한테 보수를 받아?"

"평소에는 수고한다고 마을 사람들이 채소를 주거나…… 어떤 몬스터를 잡아달라고 부탁받았을 때는 제대로 현금으로 받아."

"와아, 그렇구나……. 하지만 그걸로만 살 수 있어?"

"괜찮아. 저축해둔 게 아직 있으니까."

로라는 집의 수입원을 알고 감탄했다.

지금까지 돈 사정에 관심을 갖지 않는 아이였지만, 왕도에서 지내는 사이에 의식이 바뀐 모양이다.

만사태평한 것처럼 보여도 제대로 성장하고 있는 것이리라.

"그것보다, 오늘은 어쩐 일이야? 그냥 놀러 온 거니? 그래도 대환영이지만."

"반은 놀러온 거지만, 엄마가 만들어줬으면 하는 게 있어!"

"어머나. 그게 뭔데?"

"그게…… 마법 소녀 의상!"

“마법 소녀라면, 그림책에 나오는 그 마법 소녀?”
“응! 나하고 샬롯하고 안나의 옷을 만들어주면 좋겠는데…… 안 될까?”
로라는 눈을 반짝거리면서 물었다.
샬롯과 안나도 똑같이 눈을 반짝거리고 있었다.
만들어주는 수밖에 없으리라.
“좋아! 너희한테 어울리는 마법 소녀 의상을 만들어줄게! 그런데…… 어디에 쓰려고?”
“그건 그러니까…….”
수다스럽게 떠들던 로라가 갑자기 말끝을 흐렸다.
설마 나쁜 일에 쓰려는 걸까.
하지만 로라는 당연하고, 다른 두 명도 나쁜 아이로는 보이지 않았다.
애당초 마법 소녀 의상을 어떻게 악용하려는 걸까.
여러모로 생각한 끝에 도라는 한 가지 가설에 도달했다.
“그럼…… 그걸로 정체를 숨기고, 강한 몬스터와 싸운다, 려나?”
“굉장해! 어떻게 알았어?!”
로라는 깔끔하게 자백했다.
이런 솔직한 구석은 조금도 변하지 않았다.
“그거야 당연히 엄마도 아빠도 학창 시절에 그 교칙 때문에 시달렸으니까. 탈을 쓰고 몬스터와 싸우기도 했고……."

"역시! 그 교칙은 깨고 싶어져!"

"D랭크 이하 몬스터하고 싸울 바에야 차라리 목검 연습을 하는 게 나아."

"무슨 말인지 알아. 약한 사람을 괴롭히는 것 같아서 어쩐지 찜찜해—."

"약한 몬스터는 약한 모험가가 잡으면 돼요. 저희처럼 강한 모험가가 강한 몬스터와 싸우지 않으면 전력 낭비예요!"

샬롯은 주먹을 불끈 쥐고 힘주어 말했다.

도라는 「그래, 맞아」 하고 수긍하려 했다. 그러나 어른이 앞장서서 교칙 위반을 권하는 건 아니다 싶어서 다시 생각했다.

그 교칙은 확실히 성가시지만, 평범한 학생에게 맞춰서 만들어진 교칙이다.

자기들이 괜찮다고 해서 공공연히 어겨도 되는 것이 아니다.

"하지만 너희는 아직 학생이야. 실력은 일류일지 몰라도 무슨 일이 생겼을 때 책임지는 건 선생님들이야. 건물을 부수거나 누군가를 끌어들일지도 모르잖아? 그러니까…… 적당히 해."

"""네에."""

세 소녀는 고분고분 대답했다.

실제로 정체를 숨기지 않으면 몬스터 사냥도 하지 못할 만큼 감시받으면 싫어도 적당히 하게 되리라.

도라는 자신의 소녀 시절을 떠올렸다. 언제나 선생님들이 도라와 브루노의 행동에 눈을 번뜩였었다.

당시에는 성가셨지만 지금 생각해 보면 자신들은 지독한 문제아였다.

분명 이 세 명도 비슷한 느낌으로 학교생활을 보내고 있을 것이 틀림없다.

에밀리아 선생님이 고생이 많으리라.

다음에 정식으로 인사를 드리러 가자고 도라는 생각했다.

"그럼 오늘은 당연히 자고 가는 거지? 나중에 다 사이즈를 잴게."

"응. 자고 갈게. 내일도 모레도 쉬는 날이고!"

"잘됐다. 슬슬 너희가 놀러 오지 않으려나 하고 생각했었어."

"그랬구나. 엄마는 외로움쟁이야!"

"어머? 로라도 집에 올 핑계가 생겨서 기뻤던 거 아냐?"

"에헤헤."

로라는 부끄러운 듯이 미소 지었다.

너무나도 귀여워서 도라는 꼭 끌어안고 뺨을 비비고 싶어졌다.

그러나 친구들이 보는 앞에서 어머니에게 그런 짓을 당하면 부끄럽겠지, 하고 참고 있었는데.

"로라, 귀여워요오오!"

샬롯이 로라를 끌어안고 뺨을 비비기 시작했다.

선수를 빼앗긴 도라는 멍하니 그 모습을 바라봤다.

"앗! 도라 아주머니가 보시는 데서 이 샬롯이!"

아무래도 반사적인 행동이었던 모양이다. 샬롯은 매우 부끄러운 듯이 빨개져서는 로라에게서 떨어졌다.

"샬롯은 정말 로라를 좋아하는구나. 차라리 결혼해버릴래?"

"겨, 겨겨, 결혼?! 말도 안 돼요! 저와 로라가 결혼이라니! 아직 저희는 학생인 걸요…… 하지만 아주머니께서 그렇게 말씀하신다면 결혼을 전제로 한 만남을……."

"정말. 여자끼리 결혼을 어떻게 해, 엄마. 샬롯도 농담에 어울려주지 않아도 돼요."

"사이가 하도 좋아 보이길래. 샬롯, 놀려서 미안해."

"시. 신경 쓰지 마세요……."

샬롯은 경직된 목소리로 말했다.

정말로 로라와 결혼하고 싶었던 걸까. 설마, 그럴 리가.

"어이. 나 왔어—."

그때 도라의 남편, 브루노가 돌아왔다.

그는 등에 커다란 바구니를 메고 있었다. 안에는 채소가 잔뜩 들어 있었다.

"아빠, 어서 오세요!"

"실례하고 있어요!"

"스승님, 오랜만이야."

"삐—."

"아니, 너희들이 왔구나! 로라, 좀 컸냐?"

"컸어! 아마도!"

그렇게 말하며 로라는 브루노 앞에 섰다.

"……아빠 눈에는 별로 달라지지 않은 것 같은데."

"너무해! 입학 전하고 비교하면 자랐어. 새끼손톱 정도!"

"그 정도로는 몰라."

"그럼, 내년에는 단숨에 머리 하나 정도 자랄 거야!"

로라는 뒤꿈치를 들고 키가 커 보이도록 애썼다. 그럼에도 작은 것이 귀엽다.

그런 로라를, 도라뿐만 아니라 샬롯과 안나도 흐뭇하게 바라보고 있었다. 난로 앞에서 일체감이 생기고 있었다.

"하쿠. 제 머리 위에 오세요!"

"삐이."

난로 앞에서 둥글게 몸을 말고 있던 하쿠가 파닥파닥 날아서 로라의 머리 위에 착지했다.

"봐. 아빠! 하쿠 만큼 컸어!"

"그건…… 큰 게 아니야."

"우우…… 나하고 하쿠는 일심동체니까 하쿠가 타면 내가 큰 거나 마찬가지야!"

"삐—?"

"그 하쿠가 의아하다는 듯이 우는데, 정말 일심동체 맞아?"

"대강은!"

대강 수준의 일심동체로는 아무도 키가 큰 것으로 인정하지 않으리라.

로라도 스스로 그렇게 느꼈는지 자포자기한 것처럼 폴짝폴짝 뛰었다.

"점프하면! 아빠보다! 커!"

"알았다, 알았어. 아무튼, 여보. 채소를 받아 왔어. 마침 녀석들도 왔으니 전골이나 해 먹을까?"

"좋아. 겨울엔 역시 전골이지."

"에엣, 오믈렛이 아니야?"

"오믈렛 말고 다른 것도 골고루 먹어야 큰다고 항상 말하잖니?"

"우우, 알았어. 엄마 요리는 오믈렛 말고도 맛있으니까 뭐든 먹을게."

로라가 기분 좋은 말을 해줬다. 음식을 만드는 사람으로서 이보다 고마운 말은 없다.

이렇게 된 이상, 있는 솜씨를 다해서 만들어야 하리라.

※

"그래. 그 교칙이구만. 그 교칙에는 나나 엄마나 시달렸었지. 평범한 학생이 허세를 부려서 강한 몬스터한테 덤비는 걸 막기 위해 필요하다는 건 알지만서도."

전골을 먹으면서 로라 일행이 오늘 이곳에 온 이유를 알리자, 브루노는 그리운 듯이 말했다.

"스승님하고 도라 아주머니는 어떻게 선생님들의 눈을 속였어?"

안나는 그렇게 물은 다음 무를 우물우물 씹었다.

"그러고 보니, 궁금해요!"

샬롯도 포크로 닭고기를 찌르면서 말했다.

"그렇게 물어봐도 말이야. 그렇게 진지하게 속이진 않았지? 들켜서 선생님들이 막을 것 같으면 힘으로 강행 돌파해서—."

"잠깐, 여보. 그런 말을 애들 앞에서 하면 어떡해. 교육에 나쁘잖아. 로라, 샬롯, 안나. 우리를 따라 하면 못써! 우리는 뭐랄까…… 별로 바람직하지 않은 학생이었으니까."

"아아, 응. 그건 어렴풋이 알고 있으니까 말하지 않아도 안 따라 해."

로라가 표고버섯을 하쿠에게 먹이면서 말하자, 부모는 유감스러운 얼굴을 했다.

“로라의 반응이 냉정해…….”

“슬프구만…… 예전에는 아빠, 엄마가 하는 일에 뭐든 감탄했었는데…….”

“그렇게 말해도…….”

로라도 영원히 아이일 수는 없었다.

아니, 지금도 아이일지도 모르지만 아이 레벨 1에서 아이 레벨 2 정도로는 성장했다.

부모가 한 일이니까 모두 긍정하는 시기는 이미 오래 전에 졸업했다.

물론, 부모님이 싫어진 것은 아니다.

오히려 부모님의 곁을 떠나 살면서 더욱 그 감사함을 깨달았다.

그러면서, 안 되는 것은 안 된다고 판단할 수 있게 된 것이다.

“농담이야, 농담. 로라가 조금씩 어른이 되어가고 있는 건 아니까. 나하고 아빠가 학생이던 시절보다 훨씬 잘하고 있다고 감탄할 정도야. 그렇지? 여보.”

“아, 으응……?”

브루노는 모호하게 대답한 뒤, 당근을 덥석 먹었다.

어쩌면 당당히 교칙을 어겼을 때 비로소 길드레아 모험가 학교의 학생이지, 같은 생각을 했던 건지도 모른다.

그러나 로라 일행은 그럴 배짱까지는 없었다. 브루노에게는 미안하지만 몰래 교칙을 어기기로 했다.

"후우…… 정말 맛있었어요!"

"맛있는 데다 채소가 많아서 몸에도 좋아. 매일 오믈렛만 먹는 로라도 이걸로 영향에 균형이 잡혔을 거야."

"따, 딱히 오믈렛만 먹는 게 아니에요!"

"그렇게 필사적으로 해명하지 않아도 로라가 오믈렛만 먹는 건 알고 있으니까 괜찮아."

도라가 미소를 지으며 말했다.

"응, 응…… 앗, 아니야! 다른 것도 먹고 있어! 정말이야!"

거짓말이 아니다.

가을에는 오믈렛을 쉬고, 생선구이나 버섯을 중심으로 먹었었다.

요즘은 다시 오믈렛으로 돌아왔지만…… 오믈렛만, 이라는 것은 오해다.

"알아, 알아. 그건 그렇고, 마법 소녀 의상을 만들기 전에 치수를 잴게. 여보, 설거지 좀 해놔."

"뭐라고? 나도 애들하고 놀고 싶어!"

"여자애들 사이즈를 재는 데 끼는 건 안 되지!"

"그건 그렇지……."

도라의 호통에 브루노는 얌전히 물러났다.

분명 브루노는 아이들과 검을 겨루거나 근육 운동을 하고 싶었던 것이다.

그런데 몸 치수를 잰다는 말을 듣고, 어찌 해야 할지 모르게 된 것이리라.

브루노는 뚱한 얼굴로 모두가 식사를 마친 그릇을 부엌으로 옮겨 씻기 시작했다.

그 모습을 곁눈질하면서 로라 일행은 킥킥거리며 이 층으로 올라갔다.

로라의 방에서 몸 치수를 재고, 그것이 끝나자 여자들 전원이 욕실로 이동했다.

"삐—."

신수 하쿠도 함께다.

욕조 가마에는 불을 피우지 않았지만 여기는 로라와 샬롯이 있었다.

물을 뜨겁게 하는 것쯤은 일 초도 걸리지 않았다.

그다지 넓지 않은 욕조지만 교대로 들어가서 서로 몸을 씻겨줬다.

"아. 즉흥적으로 오는 바람에 잠옷을 챙겨 오지 않았어요!"

"그럴 줄 알고 내 잠옷을 준비해뒀어. 안나하고 다르게 샬롯은 사이즈가 비슷하지?"

"감사합니다!"

샬롯은 안나와 비슷한 잠옷을 입었다.

확실히 사이즈는 딱 맞았다. 옷자락이 바닥에 끌리는 일은 없었다.

참고로 로라는 본가에 남겨뒀던 자기 잠옷으로 갈아입었다.

입학 전에 입던 잠옷이라서 사이즈가 맞지 않는…… 일 없이, 딱 맞았다.

그 사실에 로라는 살짝 부루퉁해졌다.

"로라는 왕도로 이사 간 뒤로 성장이 늦어졌어. 좋아하는 것만 먹어서 그런 거 아냐?"

"아니야! 내년에 단숨에 크려고 영양분을 모으고 있어."

그런 누구도 속일 수 없는 변명을 하고, 로라는 하쿠를 끌어안고 탈의실을 나갔다.

거실 테이블에서는 브루노가 꾸벅꾸벅 졸고 있었다.

몬스터 사냥을 다녀온 데다 설거지까지 했으니 피곤한 것도 당연하리라.

"아빠, 안녕히 주무세요."

"삐—."

"그래…… 잘 자거라……."

브루노는 겨우 대답했다.

로라는 이 층의 자기 방으로 올라갔다.

그 뒤를 샬롯과 안나가 쫓아갔다.

"여전히 로라 집 침대는 커. 세 명이 누워도 충분해."

"우리를 위해서 만들어졌다는 생각밖에 들지 않아요."

"이러려고 만들어진 건지 아닌지는 모르지만, 넓은 건 좋은 거예요. 그런데 엄마는요?"

"마법 소녀의 디자인을 하신다고 했어요."

"우와, 바로! 그럼 우리는 언제든지 마법 소녀가 될 수 있도록 푹 자요."

"삐—."

로라는 적당한 이유를 붙이며 침대로 들어갔다.

샬롯과 안나도 이견은 없는지 로라의 양옆에 꼭 붙었다.

특히 안나는 기절할 정도로 온 힘을 다해 날았으니 피곤했던 것이리라.

벌써 눈이 반쯤 감겨 있었다. 금방이라도 곯아떨어질 것 같다.

그럼에도 케라우노스와 아네모이를 이 층의 이 방까지 옮겨 와서 벽에 세워뒀다. 장하다.

—부우우웅.

—부우우웅.

두 개의 도신이 기뻐하는 듯한 소리를 냈다.

"삐, 삐—."

어째선지 하쿠가 거기에 대꾸했다.

무슨 말을 하는 건지 로라는 전혀 모르지만, 인간이 아닌 존재끼리 서로 통하는 것이 있을지도 모른다.

고대 문명의 검과 신수.

전혀 다른 존재지만, 그렇기에 더더욱 사이가 좋은 것은 멋지고 근사한 일이다.

그런 생각하고 있었더니 로라는 졸리기 시작했다.

어느새 샬롯과 안나가 양쪽에서 새근거리며 자고 있었다.

하쿠도 이불 속으로 굼실굼실 들어와 머리만 빼고 눈을 감았다.

"그럼…… 저도 잘래요…… 안녕히 주무세요……."

"삐이……."

그 후로 방에서 소리를 내는 사람은 없었고, 아침까지 로라는 푹 잤다.

※

"로라. 샬롯. 안나. 일어나. 완성했어."

"우웅…… 아침밥……?"

어머니가 흔들어 깨우는 바람에 로라는 눈을 비비면서 크게 하품을 했다.

벽시계를 보니 아직 일곱 시였다.

주말인데도 학교에 가는 날과 같은 시간에 일어나버렸다.

"무슨 소리야. 마법 소녀 의상 말이야. 애써서 밤새 만들었어. 빨리 입어 봐."

"어……?! 벌써 다 만든 거야?"

"엄마는 한때 스카이 피시보다 빠른 창 솜씨라는 소리를 들었어. 그거랑 같은 속도로 손을 움직이면 하룻밤이면 충분해!"

"굉장해……! 몇 주는 걸릴 줄 알았는데……."

"한시라도 빨리 너희가 마법 소녀가 된 모습을 보고 싶어서!"

아무리 그래도 너무 빨랐다.

물론 감사한 일이지만 로라는 어머니의 몸이 걱정됐다.

하지만 안색은 좋아 보였고 목소리도 쌩쌩하고 밝았다.

A랭크 모험가의 체력은 괜한 게 아니라는 것이리라.

"흠냐…… 안녕히 주무셨어요. 도라 아주머니……."

"벌써 아침이야……? 모처럼 로라를 보는 꿈을 꾸고 있었는데……."

"안나. 그 이상한 꿈은 뭐예요?"

"세 사람 모두 좋은 아침이야! 이것 봐. 어때? 귀엽지?"

도라는 침대 위에 늘어놓은 마법 소녀의 의상을 손에 쥐고 자랑스레 보여줬다.

하늘하늘하고 팔랑팔랑했다.

기대했던 것보다 귀여웠다!

"머, 멋져요! 순식간에 잠이 깼어요!"

"바로 입어봐도 돼?"

"당연하지. 그러려고 깨우러 온 거니까."

"엄마. 내 건 이 분홍색이야?"

"이 보라색이 내 거야?"

"제 건 차분한 느낌의 진녹색이에요. 어른스럽고 근사해요!"

로라 일행은 신이 나서 마법 소녀 의상으로 갈아입었다…… 아니, 변신했다.

"짜잔! 저는 무려 마법 소녀 로라였어요! 반에는 비밀이에요!"

"마법 소녀 고저스 고딕 샬롯, 등장이에요!"

"마법 소녀 안나…… 좀 부끄럽지만, 열심히 할게."

제작자인 도라에게 보여주기 위해서 로라 일행은 포즈를 취했다.

그런데, 어느새 방에서 도라가 보이지 않았다.

"삐?"

잠에서 깬 하쿠가 마법 소녀의 모습으로 포즈를 취하고 있는 세 사람을 신기한 듯이 쳐다봤다 어쩐지 허무하다.

"엄마는 어디로 간 거지?"

그렇게 마법 소녀 모습을 보고 싶어 해놓고. 화장실이 급했던 걸까.

기다리면 곧 돌아오겠지, 라고 생각한 순간, 도라가 문을 열어젖히며 돌아왔다.

그런 도라 역시, 마법 소녀였다.

"짜잔! 마법 소녀 도라야!"

"앗, 엄마. 엄마 것까지 만든 거야?!"

"후후후. 너희들 걸 만들다 보니 나도 마법 소녀가 되고 싶어져서."

그렇게 말한 도라는 빙글 돌아 오렌지색 치마를 둥실 펼쳤다.

"귀, 귀여워요! 역시 로라의 어머님이세요. 어른이 되어도 여전히 소녀세요!"

"로라를 그대로 키운 느낌이야. 굉장해. 그런데 도라 아주머니는 마법을 쓸 수 있어? 마법을 못 쓰면 아무리 귀여워도 마법 소녀가 아닐 텐데……."

"기합의 진지 모드가 강화 마법인 모양이니까 일단 마법 소녀라고 해도 되지 않을까?"

"듣고 보니! 그럼 엄마까지 넷이서 마법 소녀 팀 결성! 그리고 하쿠는 신비한 소동물!"

"삐—."

이름을 불린 하쿠는 로라의 머리 위로 이동했다.

이로써 마법 소녀 로라는 완전체가 됐다.

남은 것은 몬스터와 싸우는 일뿐이다.

“자, 출정해요!”

“어머, 로라. 올해까지는 얌전히 지내는 거 아니었어요?”

“괜찮아요. 교칙을 지켜서 D랭크 이하 몬스터하고 싸울 거예요. 어디까지나 마법 소녀의 모습으로 싸우고 싶은 것뿐이에요.”

“이 모습으로 밖에 나가는 건 많이 부끄럽지만…… 다 함께라면 분명 괜찮을 거야.”

“삐!”

그리하여 마법 소녀 네 명은 계단을 내려와 힘차게 밖으로 나갔다.

마당에서는 브루노가 검 훈련을 하고 있었다.

브루노는 아내의 모습을 보고 뜨악한 표정을 지었다.

“이봐…… 나이를 생각해!”

“나이 같은 건 상관없어! 변신한 나는 영원한 열일곱이야! 받아라, 매지컬 기합의 진지 모드 펀치!”

“컥!”

나이 지적을 당한 도라는 브루노의 명치에 강렬한 주먹을 먹였다.

별로 마법 소녀답지 않은 기술이다. 매지컬이라는 단어가 허무하게 울려 퍼졌다.

“미안해, 여보……. 난 마법 소녀로서 싸우러 가야 해……. 청소랑 빨래를 부탁할게…….”

도라는 최후의 결전을 떠나는 주인공 같은 말투로 말했다.

비장감이 감돌 정도의 명연기지만 대단한 것이 아니다. 그저 집안일을 남편에게 떠맡긴 것뿐이다.

매지컬 기합의 진지 모드 펀치를 맞고 브루노가 괴로워하는 틈에 마법 소녀 네 명은 숲으로 뛰기 시작했다.

"몬스터~♪ 몬스터~♪ 나와라~~ 공격 마법으로 한 방에 물리쳐요~~♪"

로라는 선두에 서서 아무 노래나 부르며 성큼성큼 나아갔다.

"로라. 그런 노래를 하면 오히려 몬스터가 도망가는 거 아니에요?"

"한 방에 죽인다는 말을 듣고 나올 몬스터는 없어."

"어, 어차피 인간의 말을 모르니까 괜찮아요!"

로라는 그렇게 변명했다.

"그래도, 로라. 그렇게 큰 목소리로 부르면 말이 통하지 않아도 약한 몬스터는 도망쳐버려. 오히려 강한 몬스터를 불러들이지."

도라가 지적했다.

"음…… 그럼 작게 부를게……."

"아. 부르는 건 안 그만두는구나."

로라는 고집을 부려 계속 노래했다.

그러나 몇 분 만에 질려서 역시 그만두기로 했다.

네 사람은 숲 속을 어슬렁거리며 멋진 포즈 따위를 연습하면서 몬스터를 찾았다.

“벌써 두 시간 정도 돌아다녔는데 몬스터가 나오지 않네요.”

“혹시 마을 주변에 있는 몬스터는 스승님이 다 잡아버렸나?”

안나가 중얼거리자 도라가 손뼉을 탁 쳤다.

“아, 그래. 어제 순찰을 돈 직후고. 살아남은 몬스터도 도망쳤을 거니까 당분간 이 주변은 평화로워.”

“평화로운 건 좋은 일이지만, 저희의 목적을 이룰 수 없어요.”

“그럼, 좀 멀리 가 봐요. 혹시 실수로 대형 몬스터하고 싸우게 되더라도 엄마가 숨통을 끊으면 교칙 위반은 아니에요!”

“그래. 난 영원한 열일곱이지만 학생이 아니니까 괜찮아.”

“엄마! 든든해요!”

방침이 정해졌기에 로라 일행은 걷는 것을 관두고 쌔앵 하고 달리기 시작했다.

그렇게 삼십 분 정도를 달린 끝에, 쿵쿵 하고 땅이 흔들리는 것을 느꼈다.

“이건 분명 대형 몬스터예요.”

“대성공이에요!”

“혹시, 또 진홍의 방패가 공격당하고 있는 거 아냐?”

“어머나. 진홍의 방패라면 왕도에서 유명한 파티지? 그 사람들이 어쨌는데?”

“있잖아, 신기하게도 우리가 몬스터 사냥을 나가면 진홍의 방패가 큰 위기에 처해 있는 장면과 마주쳐버려. 지금까지 몇 번을 구해줬더라…… 기억나지 않을 정도야."

"이야…… 그럼 이번에도 있으려나."

마법 소녀 네 명은 소리가 들리는 방향을 향해 나아갔다.

그리고 덤불 너머로 얼굴을 내밀고 어떤 상황인지 살폈다.

그곳에는 샘이 있었다.

깊은 숲 속에 홀로 솟아난 샘은 왠지 모를 환상적인 멋을 자아냈다.

그러나 그 옆에 거대한 가재가 있어서 분위기를 망치고 있었다.

학교 교실을 삐져 나가지 싶을 정도로 거대했다.

원래 가재에는 환상적인 이미지 따위 없지만, 이렇게까지 거대하니 기괴한 느낌마저 들었다.

그런 거대한 가재와 대치한, 물빛 머리칼을 가진 한 여성이 있었다.

안경을 낀 그 옆얼굴을, 로라는 본 적이 있었다.

"에밀리아 선생님이잖아요!"

수풀 속에서 로라는 작게 중얼거렸다.

설마 이런 곳에서 담임선생님과 마주칠 줄은 몰랐다.

에밀리아는 아직 로라 일행을 눈치채지 못하고 거대 가재와 눈싸움을 벌이고 있었다.

"쟈리이이이이이!"

거대 가재가 집게발을 펼치며 위협했다.

그 순간, 에밀리아는 가재보다 더욱 거대한 불꽃의 정령을 소환해 박치기로 가재를 통구이로 만들었다.

"우와. 역시 에밀리아 선생님. 굉장한 마력이에요."

"새삼 보니 강해. 케라우노스와 아네모이를 써도 아직 이기지 못할지도 몰라……."

"저는 이길 자신 있어요. 어떤 공격도 맞지 않으면 아무것도 아니에요!"

샬롯은 자신만만하게 말했다.

흠. 확실히 샬롯의 뭐시기 디멘션 베리어는 강력하다. 공간을 비틀어서 공격을 피하는 거라서 화력으로 돌파하는 것은 불가능하다.

그러나 디멘션 베리어는 샬롯의 집중력을 왕창 갉아먹는다.

실제로 꿈의 세계에서 펼친 싸움에서 안나는 압도적인 수고로 베리어를 부수고, 무승부를 만들었다.

에밀리아는 그런 안나보다도 전투 경험이 풍부하다.

그렇다면 당연히 디멘션 베리어의 약점을 꿰뚫고 샬롯의 집중력의 빈틈을 파고들리라.

"……응? 로라?"

거대 가재를 쓰러뜨린 에밀리아는 그제야 덤불 속에서 얼굴을 내민 로라 일행에게로 눈길을 옮겼다.

"우연이네요, 에밀리아 선생님. 몬스터 사냥이라니 드문 일이네요."

"가끔은 모험가다운 걸 하지 않으면 실력이 녹슬 것 같아서. 그러는 너희는 어쩐 일이야?"

"저희는 말이죠…… 짜잔!"

로라는 덤불 밖으로 튀어나왔다. 나머지 세 사람도 로라에 이어, 다 같이 조금 전에 연습했던 포즈를 취했다.

"저희는 마법 소녀로 변신해서, 몬스터와 매일 싸우고 있어요! 반에는 비밀이에요!"

"드래곤도 덤벼라예요!"

"모든 적을 일도양단."

"영원한 열일곱!"

"삐—!"

저마다 제멋대로인 대사를 내뱉고는, 로라의 마력으로 등 뒤에 폭발을 일으켰다.

근사했다.

마치 진짜 마법 소녀의 등장 장면 같았다.

로라는 그렇게 자화자찬했지만, 에밀리아는 어떻게 반응해야 할지 모르겠다는 얼굴을 하고 있었다.

"어, 어……? 반응이 시원치 않네요……."

"반응이라기보다…… 뭐, 너희는 그렇다 치고…… 도라 씨까지……."

에밀리아는 쓴웃음을 지으면서 도라를 손가락으로 가리켰다.

그 후, 침묵이 흘렀다.

확실히 냉정히 따지면 나잇살 먹은 한 아이의 어머니가 마법 소녀 차림을 하고 「영원한 열일곱」이라고 외치면, 상당히 뜨끔할지도 모른다.

아니, 그럴지도 모른다기보다, 확실히 창피하다.

마법 소녀의 의상이 완성된 기쁨에 흥분해 있었지만 남에게 지적을 받으니 단숨에 냉정을 되찾았다.

"으, 아아아아…… 딸의 담임한테 들켰어……. 에밀리아 선생님, 이 일은 잊어줘!"

도라는 갑자기 새빨개져서 로라의 뒤로 숨었다.

그러나 들킨 것이 아니라, 스스로 튀어나와서 보란 듯이 포즈까지 잡았다.

잊으라고 해봤자, 인상이 너무 강렬해서 불가능하리라.

"아니, 그…… 도라 씨는 동안이셔서…… 열일곱 살로 보이니까 괜찮아요……. 취향은 저마다 다른 거니까요……."

에밀리아는 편을 들어줬다. 그러나 발연기였다.

도라는「아아!」하고 외치며 머리를 감싸 쥐었다.

"이렇게 된 이상…… 에밀리아 선생님도 끌어들이는 수밖에 없어! 각오해!"

"도, 도라 씨……?!"

어디에 숨겨뒀었는지 도라는 밧줄을 꺼내 무시무시한 속도로 에밀리아를 빙빙 묶어버렸다.

같은 A랭크 모험가라도 역시 도라가 한 수 위인 모양이다. 에밀리아는 전혀 대응하지 못하고 있었다.

도라는 에밀리아를 꽁꽁 묶어서 등에 메고는, 흙먼지를 피우며 쌩하고 달려갔다.

"엄마. 어디 가?!"

"도라 아주머니가 제정신이 아니에요!"

"에밀리아 선생님이 유괴당했어. 쫓아가자."

"삐—."

로라는「할 수 없지」하고 한숨을 쉬고 어머니의 뒤를 쫓았다.

그건 그렇고, 에밀리아는 마법 소녀로 변신한 로라 일행의 정체를 한눈에 알아차렸다. 여전히 굉장한 추리력이다.

※

도라는 어마어마한 속도로 달려갔기에 발자국이 또렷이 남아 있었다.

그것은 발자국이라기보다, 파성퇴를 땅에 내리친 듯한 구멍이었다.

그것을 더듬어 갔더니, 로라의 본가에 도착했다.

"아, 왔구나! 엄마가 에밀리아 선생님을 메고 돌아왔어. 어떻게 된 일이냐?"

마당에 있던 브루노가 의아하다는 듯이 물어왔다.

"그게, 에밀리아 선생님하고 숲 속에서 우연히 딱 마주치는 바람에 부끄러워진 엄마가 폭주한 거야."

"그렇구만…… 대강 이해했어. 그래서 관두라고 했는데."

브루노는 진심으로 질린 투로 말하고는 다시 검 훈련을 시작했다.

아무래도 집 안에서 무슨 일이 벌어지고 있는지에 대해서는 관심이 없는 모양이다.

그러나 로라는 자신의 어머니가 담임선생님에게 위해를 가하는 일이 일어날까 봐 제정신이 아니었다.

"아아, 도라 씨, 그만하세요! 아무한테도 말하지 않을게요……. 그, 그것만은!"

"좋지 아니한가! 좋지 아니한가!"

집 안에서 에밀리아의 비명과 도라의 악당 같은 대사가 들려왔다.

이것은 큰일이라는 생각에 로라, 샬롯, 안나는 현관을 뛰쳐 들어갔다.

그러자 거실에서 에밀리아가 물빛 마법 소녀로 변신해 있었다.

"흑…… 축제 때도 그렇고…… 어째서 이 나이에 이런 차림을 해야 하는 거야……."

에밀리아는 짧은 치마를 손으로 누르며 울먹이고 있었다.

그러나—.

"에밀리아 선생님. 완전 귀엽잖아요! 이 의상은 어떻게 된 거예요?"

"후후후. 사실 학장님용으로 만들어둔 거야. 선물로 드릴까 하고. 그게 이런 식으로 도움이 되다니. 자, 에밀리아 선생님. 이로써 당신도 공범이야!"

"무, 무슨 뚱딴지같은 말씀을 하시는 거예요…… 벗을래요!"

"아아. 귀여운데. 아까워……!"

도라는 당황하며 허겁지겁 손을 움직였다.

"그래요! 다섯 번째 마법 소녀가 될 수 있어요!"

"분명 학생들한테 인기가 더 많아질 거야."

"그런 인기는 필요 없어요!"

모두의 만류에도 불구하고, 에밀리아는 원래 옷으로 갈아입어 버렸다.

"마법 소녀 에밀리아가 평범한 에밀리아 선생님으로 돌아가버렸어요……. 실망이에요……."

"얼마든지 실망해! 이상한 기대해도 곤란해!"

에밀리아는 학교에 있을 때처럼 화를 냈다.

마법 소녀 옷을 입힌 건 로라가 아닌데. 부당했다.

"전 돌아갈래요. 도라 씨의 취향은 비밀로 할 테니까 안심하세요!"

"아, 잠깐만, 에밀리아 선생님. 이왕 이렇게 된 거 이 옷 갖고가. 막상 무슨 일이 생겼을 때 도움이 될지도 몰라."

"이 옷이 도움이 되는 일이라는 게 있나요?!"

"인생은 무슨 일이 일어날지 모르잖아? 왜, 갑자기 마법 소녀로 변신하고 싶은 기분이 들지도 모르고!"

"그럴 일 없어요! 절대로!"

"그렇게 말하지 말고, 필요 없으면 학장님한테 줘도 돼. 원래 그러려고 만든 거고."

"……알겠어요. 그런 거라면…… 학장님께 전해드리려고 받는 거예요. 저는 입지 않을 거예요!"

"알았어, 알았어."

도라는 물빛 마법 소녀 의상을 종이봉투에 넣어 에밀리아에게 건넸다.

에밀리아는 그것을 자못 마지못해라는 듯이 받아서 집을 나갔다.

"학장님은 저 의상을 마음에 들어해주실까?"

로라는 도라에게 말했다.

"학장님은 분위기를 잘 타니까 기꺼이 입으실 거야. 하지만, 어쩌면 학장님 손에는 전해지지 않을지도 몰라."

"아, 어째서?"

"그야, 내가 보는 한 에밀리아 선생님은 그렇게 싫어하지 않았으니까. 그건 싫어하는 척한 거야."

도라는 빙긋 웃으며 말했다.

"……그럴까요? 저는 진심으로 싫어하시는 것처럼 보였어요."

"나도."

"그건 너희가 어려서야. 내 눈은 잘못되지 않았어. 그러니까, 에밀리아 선생님 뒤를 쫓아가보자. 들키지 않게 몰래—."

※

에밀리아는 도라에게서 건네받은 종이봉투를 끌어안고 하늘을 날고 있었다.

딸과 마찬가지로 난감한 어머니야, 하고 한숨을 쉬었다.

다만, 이 물빛 의상 자체는 훌륭한 디자인이다.

에밀리아도 어렸을 때는 마법 소녀를 동경했었다.

변신해서 악당과 싸우고 싶다고 생각했었다.

그 꿈이 예기치 않게 현실이 될 뻔했지만…… 아무리 그래도 이 나이에 마법 소녀는 거북했다.

도라는 로라가 그대로 성장한 것 같은 모습이라서 용납될지 몰라도, 에밀리아는 어엿한 어른이었다.

아무리 의상이 있어도, 아무리 악당과 싸울 수 있는 힘을 가졌어도, 이제 와서 마법 소녀는 되고 싶지 않았다.

"……그래도, 학장님한테 전해드리기 전에 한 번쯤은 더 입어봐도 되려나……?"

어울리는지 어울리지 않는지.

나이니 뭐니, 그런 것은 둘째 치고.

동경했던 마법 소녀로 변신할 기회는 분명 평생 없을 거다.

"숲 속이라면 보는 사람도 없을 거고, 살짝만 입어보자."

에밀리아는 고도를 낮춰 땅에 내려섰다.

이 주변은 마을도 없고 어떤 소재를 구할 수 있는 것도 아니다. 사람이 오는 일 따위 없을 터다.

일단 주위를 둘러보고 아무도 없는 것을 확인했다.

"좋았어!"

마음을 정하고 마법 소녀로 갈아입…… 아니, 변신했다.

"마법 소녀 에밀리아 등장! 내가 있는 한, 악은 번영하지 않아!"

그리고 어렸을 때 수없이 연습했던 포즈를 취하고, 아무도 없는 숲을 향해 대사를 외쳤다.

그러자, 아무도 없을 터인 수풀 속에서 하쿠를 얹은 로라의 머리가 쑥 하고 튀어나오는 것이 아닌가.

"으아?!"

에밀리아는 농담이 아니라 심장이 멎는 줄 알았다.

적어도 숨은 정말로 멈췄다.

그리고 로라에 이어 샬롯, 안나, 도라도 나타났다.

"에밀리아 선생님. 사실은 마법 소녀가 되고 싶으셨군요. 엄마 말이 맞았어요!"

"그렇게 몰래 하실 거 없이, 저희의 동료가 되시면 돼요!"

"그래도 숨어서 몰래 하는 에밀리아 선생님도 귀여워. 만점이야."

"우후후…… 자, 에밀리아 선생님. 이로써 당신도 공범…… 운명 공동체! 어른 마법 소녀야!"

도라는 이래도냐 싶을 만큼 싱글벙글 웃으면서 말했다.

에밀리아는 완전히 할 말을 잃었다.

어쨌든 조금 전에 도라를 노골적으로 무시하는 태도를 취했던 것이다. 그래놓고 자기도 이렇게 마법 소녀가 되어 있었다.

변명의 여지는 조금도 없었다.

"아아…… 아아아악!"

에밀리아는 울부짖었다.

이렇게 된 이상에는 모든 것을 불태우고 자신도 죽는 수밖에 없었다.

마력을 최대로 해방했다.

마법 소녀 에밀리아는 악으로 전락하려 했지만 불행인지 다행인지, 그렇게까지 자신을 버리지는 못하고, 그저 고개를 떨구는 수밖에 없었다.

"에밀리아 선생님. 기운 내세요. 미리 말씀드리지만, 이번 일만큼은 제 잘못이 아니에요. 틀림없이, 에밀리아 선생님의 의지로 마법 소녀가 되신 거예요. 자, 동료가 돼요!"

"하아. 좋을 대로 해……."

이리하여 에밀리아는 다섯 번째 마법 소녀가 되었다.

경사로다. 경사로다.

■작가 후기

오랜만입니다. 넨쥬무기챠타로입니다.

마법 적성 9999도 6권을 무사히 내게 됐습니다. 처음 쓰기 시작했을 때는 설마 이렇게 길게 일어질 거라고는 생각하지 않았습니다.

다 독자 여러분 덕분입니다. 앞으로도 잘 부탁드립니다.

그리고, 이번 6권과 거의 동시에 만화 1권도 발매된다고 합니다.

만화입니다, 만화!

제가 쓴 소설이 출판된 것만 해도 꿈만 같은데 만화라니요!

드래곤 에이지에서의 연재가 결정됐다고 연락을 받았을 때는 반신반의했고, 막상 연재가 시작됐을 때도 반신반의했고, 그리고 아직도 반신반의 중입니다.

분명 서점에 단행본이 진열될 때까지 반신반의할 겁니다.

(그야 만화라고?!)

만화는 소설과 다르게 모든 장면에 그림이 있어서 로라들의 사랑스러움이나 배틀 신의 박력감이 원작과는 또 다른 연출로 꾸며집니다.

꼭 만화도 구입하셔서 소설 1권과 비교해서 읽어봐 주세요.

자. 이번 권의 내용입니다만, 5권에서 안나가 손에 넣은 마법검을 테스트하기 위한 상대를 찾기 위해 로라 일행이 고군분투하는 이야기입니다.

표지에 그려진 평소와는 다른 세 사람의 복장은 작중에서도 확인하실 수 있습니다. 어떤 장면에서 입고 있었는지는…… 이미 읽으신 분들은 아시겠지요. 아직인 분들은 읽으면서 확인해주세요.

그리고 에밀리아 선생님이 축제에 이어 또 또 난감한 차림을 강요받기도……?!

그나저나 표지 일러스트의 사랑스러움! 리이츄 선생님은 이번에도 최고의 작업을 해주셨습니다.

편집자 마이조 님께도 언제나처럼 신세를 지고 있습니다.

앞으로도 잘 부탁드립니다.

그런 여러분. 7권에서 다시 만나요!

검사를 목표로 입학했는데 마법 적성 9999라고요?! 6

초판 1쇄 발행 2019년 6월 10일

지은이_ Mugichatarou Nenjuu
일러스트_ Riichu
옮긴이_ 김보미

발행인_ 신현호
편집국장_ 김은주
편집진행_ 최은진 · 김기준 · 김승신 · 원현선 · 권세라
편집디자인_ 양우연
국제업무_ 정아라 · 전은지
관리 · 영업_ 김민원 · 조인희

펴낸곳_ (주)디앤씨미디어
등록_ 2002년 4월 25일 제20-260호
주소_ 서울시 구로구 디지털로 26길 111 JnK디지털타워 503호
전화_ 02-333-2513(대표)
팩시밀리_ 02-333-2514
이메일_ lnovelpiya@naver.com
L노벨 공식 카페_ http://cafe.naver.com/lnovel11

ISBN 979-11-278-5080-7 04830
ISBN 979-11-278-4376-2 (세트)

값 9,000원

L NOVEL
15세 미만 구독 불가
타치바나 코우시 지음
츠나코 일러스트
이승원 옮김
데이트 어 라이브
20
토카 월드
NOVEL